左手でお尻拭けますか？

南インドのド田舎で会社を作ったハナシ

ITシステムデザイン企業
株式会社スリート 著

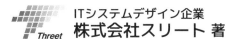

THREET
スリートブックス

まえがき

「インド」。あなたは、その名を聞いて何を思うでしょう。暑い。カレー。歌って踊る映画。鼻筋の通った「濃い」顔の人々。サリー。数学が得意な国。最近では「ＩＴ産業が盛ん」というイメージも。

では、その本当の姿はどうなのでしょうか。

インドは日本の約８・７倍の国土に、世界最大、14億の人々が住みます。あまりに広いので、首都デリーがある北インドと、南インドでは話す言葉も文化も違う。だって数千キロも離れているのですから。


そんな南インドへ、私こと株式会社スリート代表取締役・吉川徹が、初めて渡ったのは２０１０年。日本の会社でさえ社員が数名の頃。そこで私は、南インドの人々と暮らし、右手でカレーを食べ、左手でお尻を拭き、２０１１年には会社「シンプラン・ソフトウェア・インディア」まで設立しました。

その過程は七転八倒。驚きと発見の連続でした。よくしゃべる人々。毎日数時間の停電。通信速度の遅さ。道路を埋める人混みと喧騒。時には道路を、象が歩いてきます。

そんな中で私は12年間、会社を経営してきました。インドの人々は熱心で真面目。何よりもそのパワーと、仕事にかける熱意は尊敬に値します。しかもインドの平均年齢は27歳と、若々しい。「日本人だって学ぶところが多い」なんて言ってたら、すぐに追い越されてしまいそうです。

この本では、そんなインド、しかも日本では紹介が少ない南インドでの会社経営と暮らしをお話ししています。経営なんて面倒なことはいわず、ちょっと珍しい旅行記・滞在記としても楽しめるはずです。

あなたも、この本で「南インドのド田舎」の楽しさをたっぷり味わってください。

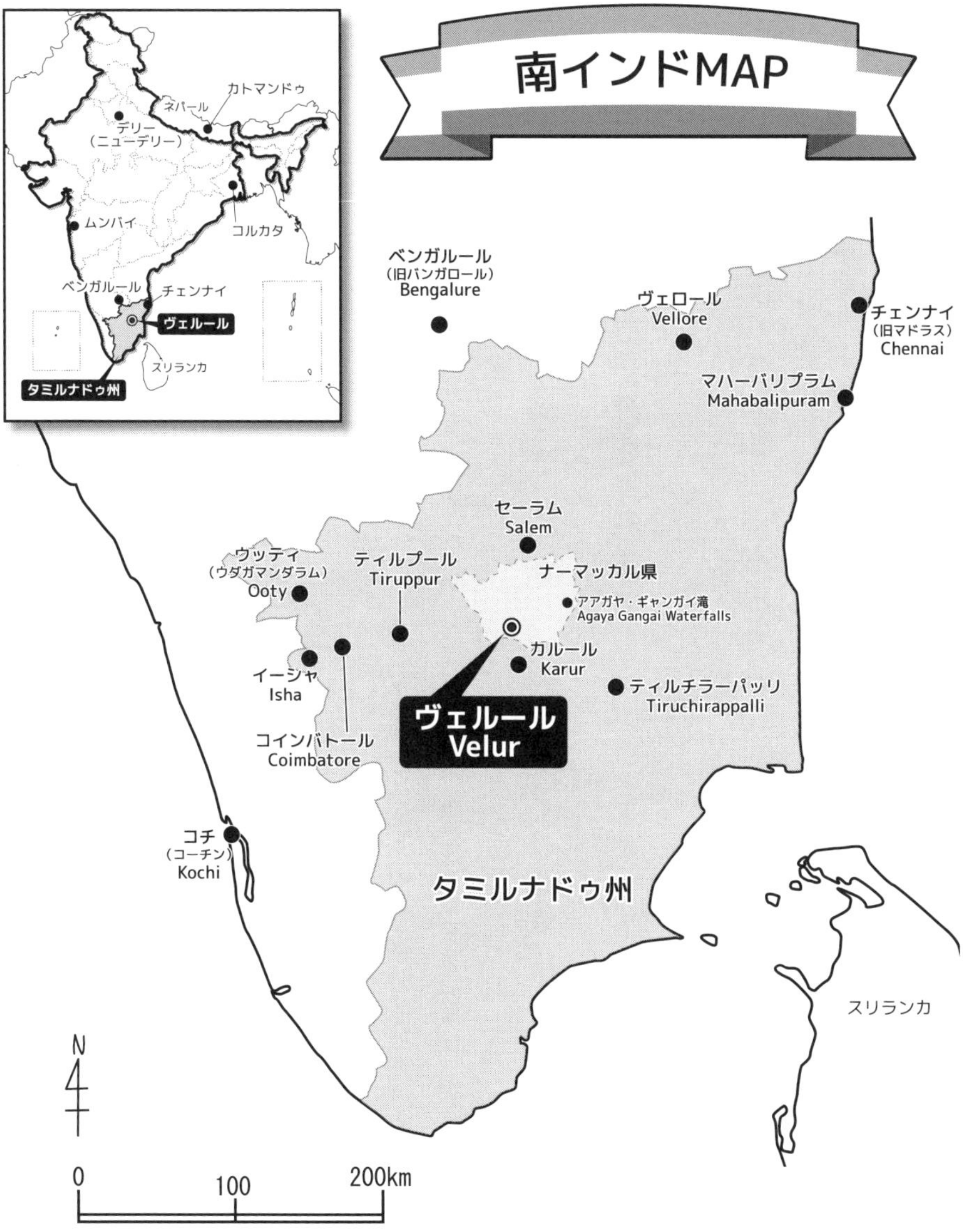
南インドMAP
カトマンドゥ
ネパール
デリー
(ニューデリー)
ムンバイ
コルカタ
ベンガルール
チェンナイ
ヴェルール
スリランカ
タミルナドゥ州
ベンガルール
(旧バンガロール)
Bengalure
ヴェロール
Vellore
チェンナイ
(旧マドラス)
Chennai
マハーバリプラム
Mahabalipuram
セーラム
Salem
ウッティ
(ウダガマンダラム)
Ooty
ティルプール
Tiruppur
ナーマッカル県
アアガヤ・ギャンガイ滝
Agaya Gangai Waterfalls
カルール
Karur
イーシャ
Isha
ティルチラーパッリ
Tiruchirappalli
ヴェルール
Velur
コインバトール
Coimbatore
コチ
(コーチン)
Kochi
タミルナドゥ州
スリランカ
N
0
100
200km

目次

第5章　インドの人々の暮らしぶり……123

キャラクター紹介
サリーさん
Dr. エレック
ライト君

インド起業クロニクル

2010年12月　初めてのインド！
何もかもが初体験。
たくさんの人との出会いがありました。

Simplan Software India設立！
2011.7.11

2011年12月
インドのスタッフは3名に。
子供服の仕入れにもチャレンジ。
「カルティカ・ディーパム」も初体験。

2011年8月
会社を本格的に稼働！
息子とインドの学校体験も。

2012年6月
ヴァスコ・ダ・ガマのお墓のあるコチへ！
インドののんびりした船旅もおすすめ！

2012年11月

2013年12月
ネパールの
IT企業を訪問。

2014年5月
初めての鉄道旅へ。
このころ、日本にインド人スタッフを招き始める。

2014年10月
2度目のネパール。

2014年11月
2度目の鉄道旅にも興奮！

2015年1月
結婚式に招待されて、2度目のネパール。インドともまた違う形の結婚式でした。

2015年3月
インドの結婚式に参列。
お寺に寄付をして名前も書いてもらった！

2015年8月
インドスタッフも増え、
結婚式に招かれることが増えてきました。

2016年6月
インドの選挙は熱い！

2017年2月

2017年10月

2018年4月

2017年12月
インドの大学で講演。
タミル語でつかみはOK!

2019年5月
イーシャへの旅。
小鳥占いもしてもらいました。

コロナでお休み

2022年6月
コロナ後のインド初訪問！
街がきれいになっていて驚きました。
滝への社員旅行も。

2022年12月
インドのスタッフを増強へ。
面接で大忙し。インドスタッフは11名に！

2023年
日印合同会議開催へ！

第1章　初めてインドに出かけるまで

1 きっかけは1本の電話だった

たった一つのきっかけが、人生に転機をもたらすことがあります。

私の場合は、1本の電話でした。

「こんにちは。私、センティルといいます。インドでＩＴの会社をやっています。どうです、情報交換をしませんか?」

いきなり、こんな「いかがわしい」電話が掛かってきたのは、２００９年の秋頃。今から14年も昔です。

社長の私こと吉川徹は、社員からの連絡を受けて受話器をとりました。別に驚きませんでした。「情報交換をしませんか」というのは、業界ではよくあるビジネス上の「ご挨拶」なのです。

私は、大阪・心斎橋でＩＴ企業「株式会社スリート」の社長をしています。コンピュータのプログラムを作り、システムとして企業に売る、そんな仕事です。

今は、自社で開発したシステムの制作・販売をしています。

ただ当時は、得意先の企業に社員を行かせて、そこでシステムを作らせる「ＳＥＳ（システム・エンジニアリング・サービス）」の仕事を行っていました。ＳＥＳでは、会社同士で人手が足りないと別の会社から社員を借りたり、逆に貸し出すことがけっこうあります。業界用語で「人出し」と言うのですが。それで会社同士の横の繋がりが重要になります。

「情報交換しませんか」という言葉は、ＳＥＳ同士が、いざという時「人出し」をしてもらうための営業の常套句なのです。

私は、電話を取りました。

少しだけなら話を聞いてみよう。そんな気持ちでした。

「はじめまして。私、センティル・セラパンといいます。インド人です」

ちょっと驚きました。流ちょうな日本語です。それまで、中国関係の人からの営業電話は受けたことがありますが、インドの人は初めてでした。

私は、他人に比べて好奇心が旺盛な方です。それから、後で書きますが、ちょっとした事情があって、新しいビジネスチャンスがないか、探していました。

リーマンショックの後で仕事も少ない時期です。

「お話をお伺いしましょうか」

私は、彼と会って話を聞いてみることにしました。ビジネスのヒントが見つかるかも、と思ったのです。新しい仕事のコネクションも作れるかもしれない。

数日後。やって来たのは、まだ若そうな男性でした。精悍な顔つきをしています。その時は年齢を知りませんでしたが、私より3歳年下で、当時は30代半ばでした。

センティルは、自己紹介をしました。

インドの服飾系の大学の出身。日本に興味を持ち、仕事をしたくて来日。日本語学校で勉強をした。それからインドへ帰って、日本向けの人材派遣で起業をしたのだ、ということでした。

流ちょうな日本語は、学校で身につけたものだったのです。

後で聞いたのですが、インドの若者で「海外で仕事をしよう」と思う人は、まずヨーロッパやアメリ力を目指すそうです。その方が仕事がしやすいのです。日本は、当時はまだＧＤＰ世界２位で尊敬を集めてはいたものの、言葉の習得が難しく、敷居が高かったようです。

そんな中で、センティルは、比較的ニッチな日本を目指した、ということでした。アメリカは好きではなく、ヨーロッパにも行った経験がなくて、憧れのあった日本だけを訪れたそうです。

（センティルはそうではないようですが）インドの若者が、海外で勉強をする場合は、たいがい、どこからか資金を借りて渡航してきます。利子は年間20％近くといいますから、かなり大変です。それでもなんとか皆、返しているようです。インドの若者のパワーというのは、あなどれないですね。


センティルは私に、自分と同じような夢を抱いているインドの若者を、日本へ送ろうと売り込みに来たのでした。インドにある自分の会社から、何人か送り出すことが可能だ、と。

また、日本にあるインドのコミュニティにもコネクションがある。必要とあらば人員を調達できる、と熱心にアピールしてきました。

インドの人はよくしゃべります。国連では「国際会議を上手くやろうと思ったら、インド人を黙らせて日本人をしゃべらせろ」というジョークがあるくらい。

センティルもそうでした。とにかくぐいぐい押してきます。

「インドにはビジネスチャンスがいっぱい転がっています。ヨシカワさんもどうですか」

それが、センティルの口癖でした。

インドの技術者は、日本人より比較的安い料金で使える、という点も魅力でした。当時、日本人技術者の単価の相場はどんどん下がっており、採算が取れない状態が続いていたからです。

私は、センティルの会社から社員を1人借り、社内でSESとして使うことにしました。何度か会ううち、センティルとは徐々に仲良くなり、いろいろな話をするようになりました。センティルの苦労話も聞きました。センティルはインドでシステム開発の会社を興したものの、軌道に乗せるのが大変。相手先からお金を貰えなかったりするし、貰えても安い。なかなかうまくいかないので、日本にチャンスがないか見に来た、といった話です。

インドのパートナー、センティル・セラパン

IT関係だけではありません。センティルの親戚がやっているアパレル関係の仕事の話も聞きました。とにかく多種多様な話です。

そのうち、私の心にも、好奇心が沸いてきました。センティルは何度となく、「インドに来ませんか」と誘ってきます。私は、まったく未知の国・インドに行くなんて、と最初は恐怖心がありました。しかし、話を聞くうち、一度行ってみてもいいかな、と思うようになりました。センティルは、私と年齢が同じくらい。同じ世代同士の安心感もあったかもしれません。

何度か会ううちに、私はつい、こんな言葉を漏らすようになったのです。

「今度、インドへ帰ることになったら、一緒に私を連れて行ってもらえませんか？」

2 当時、会社はどん底だった

藁をもすがる気持ち。というほどではありませんが。

センティルがインドビジネスの話を持ってきた当時。私の会社はどん底の状態にありました。

とにかく仕事が少なかったのです。２００８年のリーマンショックの影響もありました。仕事の依頼がなく、毎日社員に何をさせようか悩んでいました。

２００９年の段階では、社員4人の会社なのに借入金が4千万円近くにも膨れ上がっていました。原因は、もちろん社員に払う給料、つまり人件費です。運転資金に困って、借用書が10件近くになり、親戚縁者からもお金を借りていました。

そんな状況なのに、私はまだ懲りていませんでした。社長仲間に誘われては、結構な頻度で飲みに出かけていたのです。付き合い酒、接待といえば聞こえはいいですが、正直に言えば「遊び」です。

ただ、大阪の繁華街・キタの新地で2軒飲み歩いて、請求額が50万円を超えた時には、さすがに落ち込みました。莫大な借入金が残っていながら、1本20万円もするワインを空けていたわけです。全身に罪悪感のトゲが刺さりました。

家に帰ると、「俺はいったい何をしてるんだ」と後悔が襲ってきました。

気分が荒んで、何もかも嫌になり、別室の布団に寝転がっていました。

すると、妻が声をかけてきました。

「どうしたん？　なんで落ち込んでるん」

私は正直に答えました。

「新地で50万円遣《つ》こてもた（遣ってしまった）」

こんな大変な時期に、です。落ち込む私に、妻はおっとりした声で、こう言いました。

「良かったやん。それくらいで済んで。新地って、１００万円とか使う人もいてるんやろ？」

優しい慰めでした。心にしっくり沁みました。まあ、考えようによっては、いい経験でした。落ち込んで、反省しているのだから、二度とこんなことはしないわけです。

これでまた同じことを繰り返すようだったら、成長はありません。


このままではいけない。私は心を奮い立たせました。２００９年末に「リスケ」を申請することにしたのです。リスケとは「リスケジュール」。借入の整理と返済期限の見直しです。借入金をきっちり返せるよう、返済期限を延ばしてもらって、なんとか返せるようにする。

返済には２つのパターンがあります。毎月返済額が同じ「元利均等方式」と、元本を毎月同じ額返していく「元金均等方式」です。そのうち法人にできるのは、後者の元金均等方式のみ。後者の方が最初に返す額は多くなりますが、元本は確実に減っていきます。

ところが、金融機関はリスケにはなかなか応じてくれませんでした。リスケをすると自分たちが貸したお金が不良債権として計上されるからです。金融機関としては、ぜひとも避けたいところです。

何度ものバトルの末、最後には「金融庁に連絡しますよ」とまで言ったら、ようやくＯＫが出ました。

２０１０年３月末です。最初の申請から４ヶ月も過ぎていました。

リスケによって、返済額は大きく変わりました。それまで月々80万円の返済だったのが、1ヶ月で元本数万円と利子5万円。10分の1程度になりました。その代わり、新たな借入れはできません。経営再建中の企業に資金を貸してくれるような甘い金融機関はないからです。

私は車から自転車に乗り換えました。散髪屋に行くのを止め、バリカンを買って自分で頭を刈るようにしました。気構えを示すためです。自分の給料は、それまで48万円あったものを、最終的に10万円にしました。額面上はもっと収入がありましたが、経理上、貸付という形で会社に返していたので実際はそれだけでした。

家賃21万円のオフィスから引っ越し、11万円の場所にしました。SESを止めて、受託事業1本にしました。というか、そうせざるを得なかったのです。それから、総務の女性（元エンジニア）に別の会社を紹介しました。あと1名、契約社員を1ヶ月前倒しで契約終了にしてもらいました。これが唯一のリストラです。

２０１０年1月には、給与の支払いが半月遅れました。本来なら2月15日の支払いですが、月末になりました。1ヶ月前の1月の給料日に社員に通達しました。

そんなこんなで巡ってきた２０１０年の春。リスケをした成果が出て、会社は少し落ち着いてきました。まだまだ苦しい時期は続いていましたが、「さて、これからが勝負だ」という希望が持てる気分にはなっていました。

私は意識を改め、仕事に没頭していました。そして、何かビジネスに役立ちそうなものを、ずっと探していました。センティルが「インドにはビジネスの種がいろいろ転がっていますよ」と話していたのを思い出したのは、そんな頃です。

3 インドへ来ませんか、と言われる

２０１０年当時の年商は２４００万円くらい。消費税込みですので、実質は２２００万円程度でした。今の十数分の1ほどです。

綱渡りは続いていましたが、気分は落ち着いていました。

そんな時期、年も後半を迎えた10月でした。突然、センティルから、

「今度、インドへ帰ります。ヨシカワさん、インドへ来ませんか？」

というお誘いがあったのです。

いきなり連絡が来たのでびっくりしました。センティルは当時、日本で仕事をしていましたが、12月から1月にかけてインドへ帰るというのです。

12月中旬から1月中旬の間なら、うちに来てもいいということでした。「歓迎する」、と。

もう1ヶ月くらいしか時間はありません。

いくらなんでも急だな、と思いました。しかし、これを断ったら、次にはもう誘ってもらえないかも、と考えました。普通、他人を誘うなんて2、3回程度のものです。

私は決断しました。

「行きます！　インドへ行きます！」

と言ったのです。

さあ大変。私は新婚旅行でのハワイと、経済交流での韓国・釜山しか訪れたことがありません。それが、いきなり南インドへ行くのです。

南インドだと、チェンナイ（旧マドラス）くらいなら知っていますが、行先がどこなのかもピンときません。首都のデリーからかなり（数千キロメートル）離れているようです。でも、スケールが大きすぎて感覚がついていきません。

センティルは先に別便で帰っています。

私は、一人で旅支度を始めましたが、急に言われたのでやりくりが大変でした。

至急、ビザを申請しに、大阪市中央区の本町にある在大阪インド総領事館へ向かいました。観光ビザです。ビザの申請は、窓口の時間が限られている上、長くかかりました。（注：数年前から、ビザの発行は総領事館へ行かなくても、オンラインのみでできるようになっています。ただし、以前はオンライン申請をしてから総領事館へ行く必要があるなど、手続きが面倒でした。）

次は旅費の算段です。インドまでの旅費には、往復で7〜8万円かかることが分かりました。滞在費もそれなりにかかるでしょう。

たかが8万円と思われる方もいるでしょう。でも、当時会社はリスケ中、親戚縁者じゅうから借入れの山。商業視察とはいえ「インド外遊」に10万円以上も使ったら、怒る人間がいっぱいいるはずです。

悩んだ末、旅費は自費でまかなうことにしました。かといって自分の月給は、リスケ中なので10万円。貯金もわずかです。幸い、会社に少しだけ自分の貸付があったので、それを利用しました。ほとんど底を尽いていましたが。

そこまでして行くだけの魅力がインドにあったかって?

正直なところ、当時の気持ちは、今でもよく分からないのです。

一旗揚げてやろうという余裕は全然ありませんでした。何かが起きる幸運を期待したわけでもありません。逆に、ヤケを起こしたわけでもないのです。

「死んでもいいから、何かしようか」という感じが一番近いでしょうか。

当時、私は自分に1億円の生命保険をかけていました。そこで保険会社の人に、「自殺しても保険金って下りるんですか?」と聞いてみました。すると、「かけてから3年たっていますから、下りますよ」と頷かれました。

自分が死んでも、残った家族や会社は守れるなあ。なんとかなるなあ。ぽつりと、そんなことを考えていました。

ここで「ブレイクスルーを期待しよう! 何かを変えよう!」と心に誓っていたら、ドラマチックなのですが。でも現実は、もっとゆるやかな流れの中にあるようです。

4 タイでひと騒動

インドへの出発は2010年の12月16日。帰国するのは24日、クリスマスイブですから、ほぼ10日間の旅です。行きは大阪の関西国際空港（関空）からタイの首都・バンコクにあるスワンナプーム空港を経由し、南インドのチェンナイ（旧マドラス）空港へ向かいます。

出発の荷物をまとめている時、妻のユウコから「はい」と冊子を渡されました。なんだろう、と思って見てみると「旅のしおり」と書いてあります。

「タイでのトランスファー（乗り継ぎのための途中着陸）で長く留まるんでしょ。だから、その間に観光したらいいやん！　場所を書いといたわよ」

旅程では、バンコクには朝に到着し、12時間以上留まる予定でした。その間は空港外に出られるので、バンコク市内を巡るツアーだとか、どのバスに乗ればいいか、などをこと細かに書いておいてくれたのです。それどころか、ツアーの予約までしてくれていました。

「ありがとう」

ちょっと感動しました（心の半分くらい）。しおりを作ってくれるなんて。

でも、心のもう半分では、あきれていました。すごいことをするなあ。初めて訪れるバンコクでツアーを予約したり、待ち合わせ場所も指定したりするなんて。この予定に沿って行けというのか……。

私は「旅のしおり」をバッグに入れ、旅に出発しました。衣服はボロいシャツと破れ目のあるジーンズ。わざと汚い恰好にしました。「金持ちの日本人」だと思われ、襲われては嫌だからです。カバンには、まだ当時珍しかったｉＰａｄも入れました。このｉＰａｄは仕事の開発用で、お客さんに言われて買ったもので、ＳＩＭを内蔵していました。ところが、お客さんは仕事をくれると言ったまま、音信不通になってしまいました。その名残です。海外で何か役に立つのではないかと思ったのです。

住まいのある堺市から、関空のある泉佐野へ。出発は深夜24時です。


いよいよ、インドへの旅がスタートしました。

でも、飛行機へ搭乗してみて安心しました。乗客の半分くらいは日本人だったのです。

さすがタイは、日本とのビジネスが盛んな国。日本の航空会社と共同運航しているコードシェア便なので、機内放送でも英語、タイ語に加え、日本語が流れます。

これなら、なんとかなるかもしれない。異国の地へ行く不安が、和らいできました。

私は、眠ろうとしましたが、隣の客のいびきがうるさくてなかなか寝つけません。しかも真夜中の変な時間に食事が配られました。ほとんど眠ることはできませんでした。

そうこうするうちに5時間半。朝焼けのバンコク・スワンナプーム空港に到着です。

タイへ到着して、最初に感じたのは暑さ。日本は寒かったですが、バンコクでは、12月だというのに、もわーんとした温い空気が襲ってきました。

さて。飛行機が出発するのは夜9時半。15時間もあります。確かに観光にはもってこいです。

私は、妻が作ってくれた「旅のしおり」を取り出しました。予約してくれたのは、アユタヤ遺跡を見るツアーです。さっそく行こう。出発は朝6時半からです。まだ5時過ぎ。時間はあります。まずは空港から出なければ。

バンコクのスワンナプーム空港

「なになに、空港の外に出るには、これこれのバスに乗ればいい」

便利なしおりです。乗り場はすぐ見つかりました。私は妻のしおりの指示にしたがい、バスに乗りました。

しばらくして、バスが動き出しました。ところが、予想していた道と全然違う方角へ走って行くではありませんか。

「い、いったいどこへ着くんだ?」

どう考えても行先が違います。どこに行くのか、さっぱり分かりません。誰かに道を聞こうにも、日本人は皆無です。

焦った私は、そこで生まれて初めて、英語で会話を始めました。度胸が据わったというか、窮鼠猫を噛むというか。

「Where Does This Bus Go ?」

驚くことに、いざ懐に飛び込んでみると、意外に話は通じました。なんとなく、向こうの言っていることも分かってきます。身振り手振りを交えて話すうち、反対方向のバスに乗ったことも理解できました。

観光で立ち寄ったタイのアユタヤ遺跡。写真は3人の王が眠るワット・プラシーサンペット

私は、空港の中にあるバス停で降りました。待ち合わせの予定とはまったく違う場所でした。

私は、バッグの中から携帯電話を取り出しました。そして日本へと国際電話をかけました。

出たのは妻のユウコでした。私は、妻に向かって、叫びました。

「ぜんぜん違うバスやんけ！」

まあ、日本にいる妻に当たっても、事態は改善されません。しかし、もうツアー出発の時刻は迫っています。

私は、タクシーに乗り込みました。運転手には、なんとか行先を伝えることができました。そして無事、予約していたツアーに参加できたのです。

ツアーでは、バスに乗って、まず「ココナッツファーム」を見学。タイ名産のココナッツから、砂糖を作る工場の見学です。ファームの後は、屋根のついたエンジンボートに乗船し、「水上マーケット」へ。小舟で野菜や雑貨を売っている人々を見ました。

タイ料理の昼食を食べた後は、バスに乗ってバンコク郊外のアユタヤ遺跡へ。

　ここでは、全長28メートルもある、寝そべった釈迦牟尼仏像や、3人の王が眠る尖塔、ワット・プラシーサンペットを見学。オプションで象にも乗って、ゆらゆらと遺跡内を歩きました。とても楽しいツアーでした。……と書きたいところですが、実は飛行機でほとんど寝ていなかったために眠くて眠くて。

　帰りは、時間に間に合うよう、タクシーを使いました。しかしこれが誤算。大渋滞に巻き込まれたのです。私はタクシーを降り、モーターサイ（バイクのタクシー）を捕まえて乗車。渋滞から少し離れた場所で、もう一度別のタクシーに乗り込みました。

　ヒヤヒヤしましたが、なんとか空港に戻ることができました。

　空港でしばらく待って、21時10分に再びフライト。いよいよインドへ出発するのです。

5 チェンナイ（旧マドラス）到着

インドへのフライトは、バンコク行きに比べて、ずっと大変でした。

バンコクまでの飛行機には、日本人が半分くらい乗っています。しかしバンコクから先、日本人は私1人。乗客は、インドの人に特有の、彫りの深い顔立ちばかり。英語でもない、ヒンドゥー語かタミル語らしき言葉が飛び交っています。ずっと緊張していました。

フライトは3時間半。タイとの時差は1時間半ですので、チェンナイ国際空港に着いたのは、真夜中でした。

到着して驚いたのは、空港の到着ロビーにほとんど人がいないことでした。広大な空港内は、なぜかほぼ無人です。

がらんとした構内で入国手続きをしました。入国カードなど、いろいろ書類に記入しましたが、英語が分からないので適当に書きました。そもそも、どこに泊まるかも知らないんですから。

手続きが終わったら、閑散とした中を出口まで歩きます。すると、次第にザワザワと声が聞こえてきました。

ものすごい数の人！

出口に、人の壁ができていました。信じられないほどの数の人間が、出口で待って声を上げ、手を振っているのです。皆、降りてきた客の出迎えでした。インドの空港は日本と違って、見送り客が中に入れません。だからみんな出口で待っているのです。

人の多さは、怖くなるほどでした。

その人ごみの中から「ヨシカワサーン!」という声が聞こえたのです。

私は、思わず声のするほうを見ました。聞こえたはいいが、どこにいるのか分からない。皆同じような彫りの深い顔だし、手を振って叫んでるし。

しばらくあたりを見回していると、センティルの顔が見つかりました。私は、ほっとしました。無事、着いたのです。インドへ到着したのです。

「本当に来てくれた! これで野宿しないで済むぞ~!」

何より、それが一番の喜びでした。


センティルと一緒に車に乗り、宿泊先の「リバティ・パーク・ホテル」へ。

ホテルはベージュの大理石でできた、瀟洒な建物でした。ヤシの木が入口を飾っています。

「なかなか良さそうなホテルじゃないか」

と思ったものの、中に入ってみると造りはガタガタでした。インドの中では、けっこう良いホテルかもしれませんが、設備が何もないし、蚊が多い。ダブルベッドで2人で寝ました。

でも、野宿を覚悟した身からすれば、良しとすべきでしょう。

贅沢は言いっこなし。無事インドに着いて、相手もちゃんと迎えに来てくれて、身ぐるみはがされるどころか、ホテルまで用意してくれたのだから。(それどころか、センティルは、私のインドでの滞在費を全部支払ってくれました。遠い外国から来た私をもてなしてくれたのです。私は、旅費以外一切お

車とバイク、そして人であふれるインド。熱量がすごい

金を使わず。使ったのはお土産代のみでした。）ルームサービスで、サンドイッチを頼み、その晩はそれだけで眠りました。

翌朝。初めてインドでの朝を迎えました。ぐっすり眠って体調も良好。

私は、朝の光が差し込む窓のカーテンを開きました。そして外を見て、また驚いたのです。

人、人、人の波。無数の車とバイクと人が行き交い、ごったがえしています。車の鳴らすクラクションのうるさいこと。インドへ着いて一番驚いたのは、この喧騒でした。

チェンナイは、公称人口は700万人ほどですが、都市圏人口は1千万人をはるかに超えます。

すでに陽は高く昇り、眼下には、見たこともない人の渦。強烈でした。

「これがインドか。インドへ来たんだ」

6 ナノ・テクノロジー・サービス社へ

正直な話。インドの街はそんなにきれいではありません。

行き来する車とバイクの騒音。埃っぽいし、石敷きの歩道はガタガタ。夜には路上で寝転がっている人もいます。驚くことに、牛が道路を平気で歩いています。

また、日本に比べると、非常にモノが少ない感じがしました。本をあまり見かけず、紙類なども少ないのです。

しかし一般家庭では、一歩室内に入ると、部屋の中は割と小ぎれいです。インド織のカーテンが下がり、大理石の床は、はだしで歩くと夏でもひんやり気持ちいい。後でもまた詳しく書きますが、インドでは、室内ははだしなのが普通です。

ホテルで最初とまどったのは、トイレでした。トイレットペーパーがないのです。

トイレへ入ると、脇に水を入れたバケツとひしゃくがあります。大をした後は、それで水を汲んで洗い、左の素手でお尻の汚れを落とすのです。今では慣れてしまいましたが、当初はトイレットペーパーを持参していました。

2日目は、朝から、センティルが経営している会社の見学に行きました。

その名も、「ナノ・テクノロジー・サービス社」。立派な名前です。

どんな会社だろう。センティルの車に揺られている最中、どきどきしていましたが。

到着してびっくり。

すごいところだったのです。

ボロい家の中にあって、暗いし、汚くて埃っぽく狭い。

しかも電気が来ていない……と思ったのは誤解で、停電中なのでした。インドでは普通の家でも日中、数時間の停電は当たり前ですが、これはひどい。

ここで、クリーニング屋さん向けのシステムだとか、配送業のシステムを開発しているといいます。こんなところでよく仕事をしているなあ。逆に感心しました。

ふと気づくと、仕事をしている社員の1人が、私の手元をじっと見ています。

何だろう？　と思っていたら、彼が聞くのです。

「その手に持っているのは何だ」

私は、発売されたばかりのｉＰａｄを持ってきていました。

「ｉＰａｄ」

私が答えると、社員がたくさん寄ってきました。さすがＩＴ技術者、興味を持ったようです。

私は、社員の目の前でｉＰａｄをいろいろと操作しました。社員たちは目を輝かせて見入っています。キーボードではなく、当時はまだ珍しかった、画面を指で操作するタッチスクリーンだったからです。

人だかりの中でｉＰａｄを動かすうち、私は会社の人気者になっていました。

何が幸いするか分からないものです。

私は、センティルの会社の社員に、好印象を与えることに成功したのです。

7 センティルの家までバス旅行

その晩は再びホテルに泊まり、2日目は昼前から世界遺産の遺跡見学をしました。

マハーバリプラム（Mahabalipuram）です。チェンナイから南に60キロメートル離れた、海岸にある遺跡。ヒンドゥー教の聖地として知られ、4世紀から9世紀にかけて栄えました。

有名なのは、海岸近くにある、その名も「海岸寺院」。2つ並びの石積みの塔が特徴的です。周囲には、愛らしい牛の石像などがずらりと並んでいます。他に、花こう岩の山を削って作られた5つの石窟寺院「パンチャ・ラタ」（パンチャは5つ、ラタはお堂の意味）などもあり、見どころいっぱい。近くの砂浜では、人々が水浴びをしていました。

青い空と海の真ん中を、私はセンティルに連れられて歩きました。聞くと、この辺りでは、2004年12月のスマトラ島沖地震の大津波で、7000人ほどが亡くなったそうです。

この土地が、そんな悲しい歴史を持っているとは知りませんでした。しかし翌年、私は日本で、東日本大震災を経験するわけです。人の世とは、つくづく分からないものだと思いました。

なおインドに限りませんが、観光地には「外国人料金」が設定されているので注意が必要です。外国人観光客は、10倍の料金が必要なのです。たとえばインドの人の入場料が30ルピー（インドの通貨。1ルピー＝約1・6円）だとすると、外国人は300ルピー。「Foreigner's 300Rs」などと書いてあるのを見て、思わずため息をつきました。

夕方まで遺跡観光を行った後は、再びチェンナイへ戻ります。

センティルが実家に帰るので、連れて行ってもらうのです。

センティルの実家は、ヴェルール（Ｖｅｌｕｒ）という街にあります。

聞いた当初は、名前すら覚えられませんでした。インド第４位の都市・チェンナイと同じ、南インドのタミルナドゥ州にありますが、南西に３５０キロメートルも離れています。大阪＝名古屋間が約２００キロメートルといえば、距離が実感できるでしょう。首都のニューデリーからだと、距離は数千キロメートルにもなります。どうやって帰るのか、と聞いたら、「深夜バスだ」と言います。

世界遺産マハーバリプラムの「海岸寺院」

インドの深夜バス。私はまたドキドキしてきました。インドへ着いてからは、すべて初挑戦ですが、ここでもまた、それが始まるのです。

予想通り。というかインドの深夜バスは最悪でした。最初、バス・ターミナルでもあるのか、と思っていたら、どうということはない普通の店の前に停車していた古ぼけたバス。これに乗れといいます。

変なところから乗るんだなあ、と思いました。

乗ったら、客でぎゅうぎゅう詰めでした。当時は高速道路が建設中で、ろくに舗装もしていない一般道を猛スピー

5つの石窟寺院「パンチャ・ラタ」

ドで飛ばしていきます。ガタガタと揺れる揺れる。密着しているおかげか、隣に座った人と仲良くなりました。

彼は、私のジーンズを指さして言いました。

「なんでこのジーパン、穴空いてるの？　お金ないの？」

身振り手振りで尋ねてきます。つくづく、インドの人は話好きです。前述の通り、私はお金持ちの日本人だと思われたくなくて、ボロい格好をしていました。

「これは、日本のファッションなんだよ」

そう言うと、そんなファッションあるか、という感じで笑いました。

私と彼とは、いつの間にか言葉に頼らない、身振り手振りでコミュニケーションをとっていました。旅とは不思議なもの。そういうこともあるのです。

彼とは、電話番号を交換しました。日本へ帰ってから、何度か電話をもらいましたが、お互い英語がしゃべれないので、ろくにコミュニケーションできませんでした。

やっぱり、実際に相手を見て、身振りつきで話さないとダメなんですね。でも、こんな予想外の楽しさが、インドの醍醐味の一つだと思っています。

8 センティルの家は大豪邸

バスは夜じゅう、インドのガタガタ道を走っていきます。

長い長い時間が過ぎ、やがてセンティルの故郷、ヴェルールへ到着しました。

到着して、またびっくり。センティル家は、非常に大きかったのです。

2階建て。大理石造りの豪勢なお屋敷。明らかに周りの家よりランクが上で、雰囲気が違います。

中に入ったら、なんと部屋に一つずつ、トイレとシャワーが付いていました。

泊まっていたホテルとは大違い。

もう一つ驚いたのは、センティルの持っている土地の広大さです。センティル家の周囲には水路を巡らせた農場が広がっています。この土地すべて、約12ヘクタールを所有している、と言っていました。大阪でいえば心斎橋一帯、東京だと新宿駅一帯クラスの土地が、全部自分のものだというのです。

その豊かさに、圧倒される思いでした。後で聞いたら、センティル家は地方の名家で、カーストでいえば庄屋の家柄だということでした。

インドには古くからの階級制度、カーストが実質上残っています（憲法ではカーストによる差別を禁止しています）。インドのカーストは、階級というより、どちらかというと職業選別の意味合いが強く、鉄工業者さんの息子は鉄工業者になる、といった感じです。

センティル家も、昔からの庄屋だから庄屋になっている、という感じでした。センティルの家柄はカーストでいえば中くらいだそう。ただ、同じカーストでも豊かな者とそうでない者がいるらしいので、センティル家が豊かなのは家族が商売熱心なおかげもあるようです。

センティル家は、だだっ広い屋敷に、両親が2人で住んでいました。息子たちはもう巣立っています。

センティルは、きれいな部屋に私を泊めました。そして翌日から、親戚や友達じゅうに私を紹介して回ったのです。センティルの叔父さんや弟、奥さんの実家などを訪れました。

センティル家から100キロメートルほど西にあるティルプールという街には、弟さんたちが経営しているTシャツ工場があります。そこも見学しました。

従業員は40～50人くらい。規模はちょっとした町工場、といった感じです。給料は1人1日350ルピー（約560円）ということでした。

センティルはもともと服飾関連の大学出身。工場に出向くと友達がいっぱい集まってきて、「この服はいくらで売ったらいい？」「デザインはいいか、悪いか？」などとしきりに聞いてきます。

すでに、私の感覚は観光を通り過ぎ、ビジネス的なものへと変わっていました。Tシャツやポロシャツなどをこの工場から日本に輸入して商売をしないか、などの紹介を受けているのでした。

結局、その時は仕入れませんでした。しかし服飾のビジネスは、後に我々が別ブランドで展開している子供服に繋がっています。

インドでは、次から次へと、人を紹介してもらいました。たくさんの人と知り合うのは、ビジネスマンとして非常に喜ばしく、やる気を奮い立たせてくれることでした。

私は、夢中になって、インドの視察を続けていました。

9 帰りも大騒動

楽しい時間は速く過ぎます。インドで視察を行ったのは実質5日間。たくさんの新しい知識と知人を得た後、いよいよ帰宅することになりました。

親しくなった人々に別れを告げ、センティルの車で、ヴェルールから80キロメートルほど北にある、セーラムの街へ向かいます。そこからディーゼル列車でチェンナイ空港に戻るのです。列車では、８時間から10時間の旅。インドでの列車旅行も初めてなので、ワクワクしていました。

ところが、セーラムに着いたら、大変なことが分かりました。

列車が動いていないのです。インドの鉄道は本数が非常に少なく、毎日運行するわけではありません。曜日によって走る日と走らない日があります。

これには頭を抱えました。どうしよう、飛行機の時間に間に合わない。

私が困っていると、センティルは言いました。

「大丈夫です、ヨシカワさん。僕が車で、チェンナイまで送ります」

責任を感じたのでしょう。私は、彼の情の厚さに感動しました。

さて、セーラムからチェンナイまでは約２５０キロメートルの距離です。大変な旅行になりました。今では高速道路ができていますが、当時はガタガタで、穴だらけの一般道のまま。

そこを、猛スピードでセンティルの車が走っていきます。

しかも、問題がもう一つありました。センティルは「車で送っていく」と言ったものの、チェンナイまでの道をよく知らないのです。

――どうしよう、道を間違えたら。

250キロメートルの道中。一度、方向を間違えてしまえば万事休すです。

でも私には、その時、強い味方がありました。

「センティル、大丈夫！　僕はiPadを持っている。GPS機能を使えば、チェンナイまでの道は分かる！」

私は荷物からiPadを取り出しました。海外でも使えるようにしていたので、GPS機能でチェンナイへの方角くらいは分かります。ただし、なにせ十数年も前。iPadは発売から間もなく、当時は3Gどころか、2Gの時代です。動作は遅くて、表示もひどく雑でした。

けれど、たまたま持ってきたiPadが2度まで役に立ってくれました。旅では、何が助けになるのか分かりません。

幸運にも助けられ、無事、チェンナイ空港で飛行機に搭乗することができました。

12月24日、クリスマスイブの深夜0時にチェンナイ発。朝5時にバンコク、スワンナプーム空港着。乗り継ぎに6時間待って、バンコクを飛び立ちました。

旅も終わると短く感じるものです。私は、その間にたくさんの興味深い体験をしました。

「もう帰りたくないな」

帰りの機中で、こう思いました。日本へ帰ったって、会社はどん底状態。また借入金返済、返済の地獄が続くのです。それに比べて、なんとインドは楽しかったことか。あの大地にいる間は、何も考えなくてよかった。私は、このまま帰れなくなればいいのに、とさえ思いました。初めてインドから帰るときは、そんな気持ちだったのです。

こんな気分は、会社の状態が本格的に上向くまで、5～6回目のインド出張の頃まで続きました。

ところで帰ってから、iPadの通信費の請求がやってきました。見るとなんと8万円！　冗談ではありません。事前に調べて、海外パケ・ホーダイ（外国で定額のデータ通信ができるサービス）に加入しているはずなのに。定額でせいぜい1日2千円くらいのはずです。

よく調べてみると、インドは海外パケ・ホーダイの対象国ではありませんでした。タイは加入しているのですが、インドは対象外だったのです。

私は、困り果てて担当者に電話しました。

「インドは、海外パケ・ホーダイの対象国ではないんですか」

「違いますね」

「そんなこと知りませんでしたー」

事情を見かねてか、担当者はすぐパケ・ホーダイ程度の料金に減らしてくれました。世間では、iPhoneの海外使用で、莫大な料金を請求された、という事件が次々起こっていた頃。担当者も、忖度してくれたのでしょう。

それから、インド滞在中には、毎日必ず日本の家へハガキを書いていました。帰る時、センティルの弟が経営しているアパレル会社の社員さんに「出しておいてね」と頼んだけれど、いまだに届いていません。あのハガキは、いったいどこへ行ったのでしょうか。

コラム・インドの公用語

インドは人口約14億人。２０２３年には世界最大の人口を有する国となりました。

インドで話される言葉は、公用語がまず2つ。一番目がヒンドゥー語で、準公用語が英語です。もともと、ヒンドゥー語だけを公用語にしたかったようですが、タミル語が多い南インド（われらの会社があるタミルナドゥ州など）からの反発が強く、英語が残ったのです。

この2つの公用語と合わせて、22の指定言語が憲法で決められています。これらの言語が、28ある州の公用語にそれぞれ選ばれています。もちろん、複数の州にまたがるものもあります。

これらの言語を一度に読もうと思えば、インドの紙幣を見ればいいでしょう。各言語で、お札の金額が書かれています。さらに方言が2千ほどあるようです。

わが社のあるタミルナドゥ州の公用語は、タミル語。南インドでは一般的な言葉で、7千万人以上が話し、スリランカやシンガポールでも公用語となっています。両国とも海をはさんで、タミルナドゥ州と繋がっています。こう見ると、タミル語を話す人が「印僑」として、スリランカやシンガポールへ海を渡って行った様が想像できるようです。言葉一つをとっても、インドの巨大さ、奥深さというのは並大抵のものではないですね。

インドの指定言語

アッサム語	ベンガル語	ボド語	ドーグリー語	グジャラート語
ヒンドゥー語	カンナダ語	カシミール語	コーンカニー語	
マイティリー語	マラヤーラム語	マニプル語	マラーティー語	
ネパール語	オリヤー語	パンジャーブ語	サンスクリット語	
サンタル語	シンド語	タミル語	テルグ語	ウルドゥー語

第2章　インドに会社を作るまで

1 インドに会社を作ろう！

2011年の春。初めてのインド訪問から帰った後。私は相変わらず、借入金の返済に追われる忙しい日々を送っていました。でも。

「インドで何かできないだろうか。何かチャンスはないだろうか」

ふと気づくと、インドを思い出して考えていました。

会社は最悪期を脱し、ぽつぽつと仕事がやって来ていました。しかし、順調とはとてもいえません。IT業界は不景気で、日本人技術者の単価はどんどん下がっていました。1人の技術者が1ヶ月働くとして、かつて50万以上が相場だったのに、35～40万円程度です。

会社は、技術者の労賃から経費と利益を差し引き、残りを給料として支払います。これでは、経費と給料を差し引いたら、利益は残りません。

商売にならない。頭を抱えていたところへ、同業者からこんな話が持ちかけられました。

「今度、大きな仕事が入ります。人手が欲しいので、吉川さんの会社へお願いしたいのですが」

またとない話でした。大がかりなウェブシステムを構築しようというのです。

この仕事はぜひ受けたい。そう思った私は、答えました。

「日本人技術者の数には限りがありますが、インドだったら優秀な技術者をリーズナブルな単価でご用意することができます」

向こうの担当者は、それを聞いて答えました。

「よろしいでしょう。ぜひお願いします」

私は、日本に戻っていたセンティルに急いで電話を掛けました。

「大きな仕事が入りそうだ。ついては、インドでＩＴ会社を立ち上げたい。協力してくれないか」

２０１１年４月。実は、日本をめぐる世界の状況は一変していました。ご存じの通り、２０１１年３月11日に東日本大震災が発生し、多くの人が亡くなったのです。痛ましいことですが、それだけではありません。

実は多くの外国人が、この時期、日本を逃れて母国へ帰っていたのです。

インドも例外ではありませんでした。帰国した人の中には、日本の企業に勤めていたＩＴ技術者も多く含まれていました。一部は、インドからリモートで日本企業の仕事をしていましたが、職にあぶれた技術者もいたのです。

センティルの周りにも、仕事を辞めてインドに帰った技術者がいました。

センティルも言っていました。

「インドには、日本企業との仕事に慣れたＩＴ技術者がたくさん帰ってきているよ。彼らを集めれば、ＩＴ企業が立ち上げられるはず」

センティルの地元にいる幼なじみには、ＩＴ技術者がいました。センティルは幼なじみの中では一番年長。要するに顔が効いたのです。

センティルには戦略があったのでしょう。

「こんな人がいる。社員にしていいんじゃないかな。こんな人もいるよ」

と、どんどん人を見つけて紹介してくれました。

インドで仕事をするコツの一つは、良いパートナーを見つけること。センティルは私にとって、大切なパートナーでした。

私とセンティルは、早速、会社設立の準備を始めました。

本当ならここで「うまく行きそう！」と思うのが普通なのかもしれません。

でも正直な話、私は「本当に、やっていけるかなあ」と不安でした。

私の場合、不安がいつも最初にやってきます。そこでひと息ついてから、一歩、前に踏み出します。

まだ成功とはとてもいえませんが、不安でも結局は踏み込んでいるのが、私のスタイルだと思っています。

2 インドで会社設立

とうとう、インドで会社を設立することになりました。さっそく手続きの開始です。話があった「大きな仕事」にも間に合わせる必要があります。

インドで設立できる会社の種類は、いくつかあります。私たちが設立したのは「有限責任会社」（Limited Company）、日本でいう株式会社でした。有限責任会社の中には、株式を公開する公開会社（Limited Company）と公開しない非公開会社（Private Limited Company）があります。私たちは、手続きの簡単な非公開会社にしました。

非公開会社は、インドで会社を設立する時、いちばん一般的な法人です。設立には株主が2人以上、取締役は2人以上で、うち1人はインドに居住する取締役である必要があります。まあ、（株式はありますが）有限会社みたいなものと考えていいでしょう。

最低資本金は、当時は10万ルピー（約16万円）以上。現在では制限は撤廃されています。

インドでの会社設立の手順は、おおむね次のようになります。

（1）取締役登録
（2）商号申請
（3）定款の作成と登記（MOA：基本定款とAOA：附属定款の2種類があります）

（4）登記証明書の取得
（5）社印作成
（6）取締役会開催
（7）銀行口座の開設と資本金送金
（8）株式の発行

いろいろとややこしいですが、手続きの大半は、センティルが行ってくれました。センティルも日本にいますので、ネット経由でインドに連絡して、現地の税理士にやってもらいます。

私たちは、センティルに助言を受け、書類を用意し、手続きを行いました。

それでも、外国での会社設立は、かなり面倒です。

まず苦労したのが（1）の取締役登録でした。

外国人がインドで法人を作ろうとする場合は、（取締役の1人である）私・吉川徹という人物をインド国内で登録しないといけません。さまざまなＩＤがあって、それをどんどん登録していきます。

日本国内なら、ＩＤ取得は人物確認に運転免許証やパスポートがあれば十分ですが、インドではそれだけではダメです。公証人役場へ行って、日本国内で取得した住民票を英訳したものとか、パスポートなどを提出して、英語で「この人物は本人に間違いありません」と第三者に認証してもらう必要があります。これが時間がかかるし、お金もかかるのです。

この公証人役場での個人認証（ノータリゼーション）は、私と妻が行いました。

登録を行った後は、取締役の登録です。私は、最初は自分とセンティルだけでいいと思っていました。しかし、センティルが自分の奥さんを入れたいと言います。

そのついでに、「ヨシカワさんの奥さんも入れてよ」と言い出したのです。

結局、会社の取締役はセンティルと奥さん、私と妻のユウコの4人になりました。妻は自分の知らないうちに、海外企業の役員になっていたのです。もちろん、すぐ後で話しましたが。

なお、インドで起業する時に代表的なＩＤカードに「ＰＡＮ　ＣＡＲＤ（インドの納税者番号：PERMANENT ACCOUNT NUMBER）」があります。私は、ＰＡＮカードは取得できませんでした。ＰＡＮカードの取得には、インドで一定額の所得があり、所得税申告書を提出している必要があります。私は、その条件を満たしていなかったのです。

もう一つ大変なのは、（7）のうち「資本金の送金」です。

会社設立には当然、会社の資本金を入金する必要があります。資本金は、センティルと私で出すことにしました。ただ、インドに送金する必要があります。

アメリカへならば、あちこちにすぐ送れてけっこう楽です。しかし相手はインド。（今は少し楽になっているようですが）当時は、出資金の送付ができる金融機関を見つけるのが大変でした。

最初はインドステイト銀行（ＳＢＩ、インド最大の市中銀行）の大阪支店を見つけました。ところが、ここではどうやってもＮＥＦＴ（National Electronic Funds Transfer。インド準備銀行が管理する電子送金システム）でしか送れません。

インド政府は、ＳＷＩＦＴ（国際銀行間通信協会の国際金融取引）で送ったものしか資本金として認めないのです。しかもドルではなく、ルピーで送らなくてはいけません。ドルで送金すると、ルピーに換えた時、中途半端な金額になると受け取ってもらえないからです。結局、イギリスのロイズ銀行の支

Application for remittance with declaration

To: State Bank of India

Date:

Name	Threet co; Ltd	AC No.	
Address	572-0081 5F Shintowa Bldg, 4-6-10 Minamisemba, Chuo-ku Osaka-city, Osaka JAPAN	Tel	06-6251-0315
Name	Simplan Software India Pvt. Ltd.	AC No.	
Address	NO. 192-A4, Sakthinagar, Paramathi-Velur, Namakkal Tamilnadu, TN INDIA 638182		
Bank Name	THE KARUR VYSYA BANK LIMITED	Branch Name	panda mangalam
Amount	Currency RS 273,351		

STATE BANK OF INDIA

OCT. 14 2016

CASH RECEI

Development Support

OFFICE USE

Date of Remittance	OCT. 14 2016

SWIFTによる送金の書類

店（現在、日本支店はありませ
ん）を見つけて、そこから送ることになりました。

出資額は私と妻で25万ルピー。40万円くらいです。

送金する時、センティルに金額について相談したことを覚えています。

「資本金って、いくら要るの？　５００万円くらい？」

すると、センティルは不思議そうに答えました。

「なんでそんなに要るの？　そんなに出してどうするの」

そこで全部で50万ルピー。私の分は半分で25万ルピーになりました。

正直、安くて助かった！　と思いました。会社には借金があるため、自分の貯金から出すことになっていたからです。私は胸をなでおろしました。

3 会社スタート。でも最初の社員は1日で辞めた!?

悩んだのは社名です。社名はセンティルとのメールのやり取りで考えましたが、なかなか決定打が出ません。20いくつも提案したのですが、最終的には私の作った「Simplan Framework」（ソフト作りのためのベーシックなひな型名）にちなんで、「Simplan Software India」になりました。

次は、会社を設立する場所です。どこにしようか、とセンティルと相談しました。

私は、大都市であるチェンナイがいい、と思っていました。チェンナイは1千万人都市（都市圏全体含む）。社員を雇うのに苦労はしないでしょう。もしくは、チェンナイから300キロメートルほど西に離れたベンガルール（旧バンガロール）。ここも1千万人近くが住む大都市です。しかも、ＩＴ企業が林立し、世界的に知られるハイテク産業の中心地となっています。

ところが、センティルはダメだというのです。

「そんなところに会社を作ったら、すぐに社員を引き抜かれちゃうよ。それに、大都市の人は、お金、お金って賃上げばかり要求してちっとも働かないよ」

大都市はＩＴに限らず競合企業が星の数ほどあって、引き抜きや転職が日常茶飯事だというのです。インドの人は情に厚い面もありますが、仕事にはクール。あっちの方が儲かると見ると、すぐに転職していきます。それに、大都市はどうしても欧米系の会社や巨大企業が強い、ということでした。

「僕の地元・ヴェルールでやる方がいいよ」

地元なら、センティルの知人も社員として呼ぶことができる、といいます。

私は、センティルの言葉に従い、タミルナドゥ州の田舎町、ヴェルールで起業することにしました。

会社の社屋選びは、センティルに一任しました。このあたり、インドでの起業には、現地のパートナーの協力がいかに大切か、よく分かります。

ただし、センティルが見つけてきたのは、これまた薄汚いオフィス。なんだここは、と思いました。オフィスは、後に小ぎれいなところに引っ越しました。やはり日本でもインドでも、社内はきれいに越したことはありません。

家具や備品は、センティルが経営している会社の余り物を購入して持ってきました。

これで一応、会社の体裁はできました。

ところで社員はどうしたかって？　最初は、純粋な社員は1人きりでした。

当時の会社の社員構成は次の通りでした。取締役（ディレクター）はセンティルとセンティルの奥さん、私と妻のユウコの4人。現地のマネージャーはサティスといい、センティルの奥さんの弟です。

そこに、センティルのもう一つの会社、ナノ・テクノロジー・サービス社から社員を1人呼び寄せました。彼は、ジーバという名前でした。

他にも社員募集をしたので、3名ほど応募がありました。

まだ6月で、設立作業がすべては済んでいません。開業前ですが、いよいよ試運転というところ。

ところが、そのジーバが翌朝になると出社して来ません。辞めてしまったのです。

私たちは、頭を抱えました。インドで会社を始めることの難しさに直面した思いでした。

こうしてシンプラン・ソフトウェア・インディア社は、社員ゼロからスタートしたのでした。

4 2回目のインド出張は、泥だらけでスタート

いきなり社員がマネージャーのサティス1人。実質上社員ゼロからスタートした当社ですが、7月になって、腕の立つ社員が1人加わりました。カルティクです。センティルの知人で、日本のIT企業で勤めていて、震災のせいで帰国した人間です。もちろんプログラミングができます。カルティクは起業して13年たった今でも働いていて、会社のカナメになってくれています。

しかし、まだまだ会社の形は十分に整ってはいません。

そこで私は、2回目のインド出張を行うことにしたのです。期間は1ヶ月。その間に、インドのスタッフを面接して雇い入れるつもりでした。

2011年8月5日、私は再び関西国際空港から、タイ経由でインドへ飛び立ちました。夏休みだったので、妻のユウコと、当時小学1年生だった息子のアキラを連れて行くことにしました。

さて、インドの旅にトラブルはつきもの。

今度、着陸したのはベンガルール空港（現・ケンペコウダ空港）。最初の旅で着陸したチェンナイ（旧マドラス）から西へ300キロメートルほど入った内陸です。目的地のヴェルールから見ると、チェンナイとベンガルールは逆三角形を描く位置になります。

ベンガルールは、インドを代表するITの中心地。南インドなのに、年間通して気温が20度程度と涼しいのが魅力です。しかし空港を出ると、客引きだらけ。その勢いは大ビジネス都市そのものでした。しつこい客引きにうんざりしつつ、タクシーを止めて乗り込みました。

しかし、この運転手が頼りないのです。ホテルの住所を示して、「ここへ行ってくれ」と頼んでも、どうも行先を分かっていません。

あっちへこっちへと移動している間に、運転手は「近道をする」と言い出しました。そして道路ではない、ひどいぬかるみに入っていきます。

しばらく行くと、ボコッ、ドスンと振動が襲ってきました。車が穴に落ち込んだのです。タクシーは動かなくなりました。泥にタイヤを取られて、スリップしています。外は街灯もない場所で、真っ暗。最悪です。

運転手はどうしようもない、と首を振るばかり。あげくに「降りろ」と言いました。

私に自分で降りて、タクシーを押せというのです。私はしかたなく外に出て、タクシーを押し始めました。

もう泥だらけです。しかし、タクシーは動きません。

「おい、頼む。一緒に押してくれ」

車内の妻に声をかけました。２人で一緒に車を押します。でも、やっぱり動きません。

困り切っていると、しばらくして、向こうからたくさんの人がぞろぞろやってきました。

手を振って「助けて～！」と声をかけると、近寄ってきます。

なんとその泥道は、建設中の道路だったのです。やってきたのは、深夜作業を終えた、道路工事の人たちでした。道路工事のおっちゃんは、クレーン車でタクシーを引っ張り出してくれました。

後で考えると、これはかなり危険な状況でした。私たち夫婦は外に出ていて、車内に残ったのは６歳になる息子１人。もし、運転手がタチの良くない人間で、車が動いて息子を乗せたまま連れ去ってしまったら。そう考えると冷や汗が止まりませんでした。

なんとか無事に泥道からは脱出できました。でも、さらなる事態が待ち受けていました。タクシーの運転手がホテルを間違えたのです。

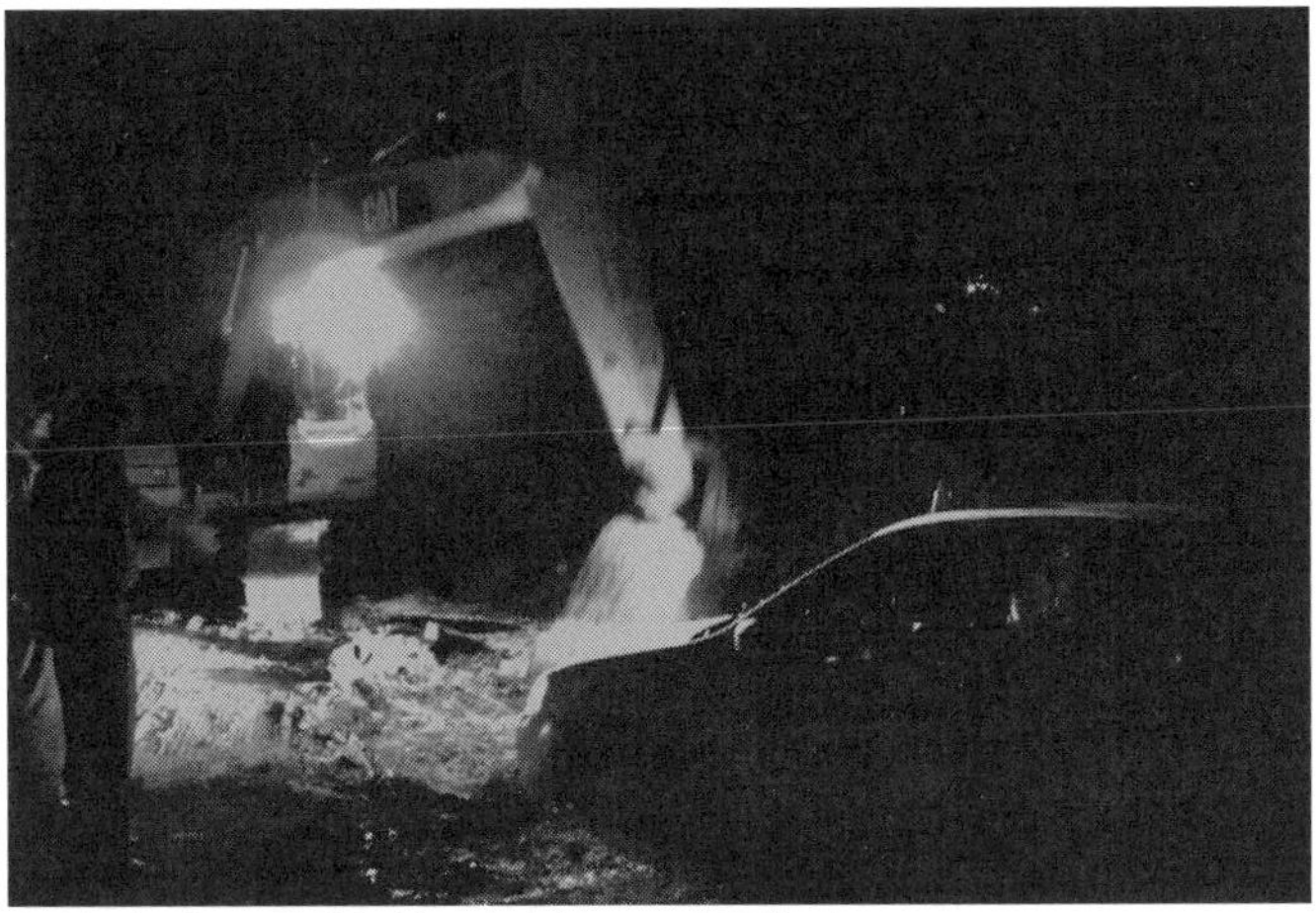

タイヤがはまって動けなくなったタクシー。大変だった

予約していたのと全然違うホテルに到着。なんといい加減な。ホテル名が同じだったので間違えたのでしょうが、住所も全然違っています。

宿泊予定のホテルにはすでにお金を払っています。くだんのタクシーはさっさと帰ってしまいました。ホテルの人に、カタコトの英語で必死に話したのですが、全然通じません。

困りきったものの、この晩はそこのホテルでなんとか過ごすことができました。泊まる予定のホテルと、同じ系列（ブランチ）だったのです。料金も要らない、と言われたので、二重払いもせずに済みました。

日本から見ると、「なんといい加減な」という気分でしょう。でも、これもインドなのです。

5 会社の環境を整える

さて、間違えられたホテルで一晩過ごした私たちに、翌日お迎えがやってきました。社員のカルティクとサティスが、車でやってきたのです。

カルティクは日本でIT企業に勤めていたので日本語はペラペラ。サティスは日本語はまったくできませんが、スタッフを仕切るマネージャーです。

目的地のヴェルールまでは、ベンガルールからも300キロメートルほど離れています。そこを、車で移動することになりました。

道中は問題なかったのですが、インドの人は陽気です。サティスがインドのヒットソングを大音量でガンガンかけ、騒々しく車は進んで行きました。

300キロメートルの旅を経て、再びヴェルールに降り立ちました。

インドの会社の社屋は、狭くて埃っぽいところです。家賃は1ヶ月3千ルピー（約4800円）。インドではそこそこ高い値段ですが、とにかく大家さんが、お金にうるさい。

1ヶ月の滞在中は、大家さんの自宅の一室を借りました。しかし会社の家賃が1ヶ月3千ルピーなのに、部屋代は外国人だというので3万ルピーなのです。インドでは、もともと値切り交渉が当たり前。私も値切るのには自信があったので、さんざん交渉しました。しかし、1ルピーもまけてもらえませんでした。

この大家さんはそれからも何かとお金にうるさかったので、会社もすぐ引っ越しました。

さて、わが社に着いたら、さっそく会社の基盤作りです。会社のパソコンは5台。うち1台にスカイプ（Ｓｋｙｐｅ＝無料のビデオ通信ソフト）を接続し、日本の会社と繋いで連絡がとれるようにしました。スカイプを常時接続し、インドの社内映像を日本へ流し続けるようにしたのです。日本への社員の指示は、このスカイプとメールで行うようにしました。

会社の仕事の中心は、コンピュータのプログラム作りです。指示は日本から送り、現地でインドのプログラマーがそれに従って制作。プログラムが完成したら、サーバーにアップして日本でチェックを行うという方法です。指示はすべて日本語です（今でも日本語で行っています）。

やはりコミュニケーションは大切です。こちらは日本語。あちらも英語を話せる人は少しいますが、タミル語が中心です。

幸いなのは、うちの会社が扱う商品がプログラムであること。プログラミング言語は英語をベースにしており、全世界共通で使えるので、タミル語主体のインドの人とも、プログラミング言語でコミュニケーションがとれるのです。

ただ、インドのスタッフは真面目な人が多いものの、プログラムの指示では、細かなニュアンスが伝わりにくいのが悩み。時々、とんでもないものが仕上がってきます。

もう一つの悩みは電力。インドはどこでもそうですが、1日3〜4時間は停電が起きます。電力とスピードが頼みの綱のＩＴ企業では、停電は大敵。

そこで、どの会社でもＵＰＳ（無停電電源装置）や、ガソリン式の自家発電機を装備しています。

それに加えて、インターネットの通信速度が遅いのには本当に困りました。実感で、日本の速度の10

分の1くらいです。ＶＤＳＬという形式で、屋根に受信機が設置されており、近くの基地局からの電波を受けて、電話回線で部屋まで引き込むのです。屋根に受信機があるので、雨が降るとたんに通信速度が遅くなって不安定になります。

スマートフォンの方が、通信速度が速いのには本当に困りました。

こんな風にして、2度目のインド滞在は、インドと日本の会社への指示という二刀流で仕事を続けました。大変な日々でした。

多忙というより、環境が違っていたので四苦八苦した、というのが正直なところでしょう。このあたりの会社の設備や環境については、後の項目で詳しくお話ししたいと思います。

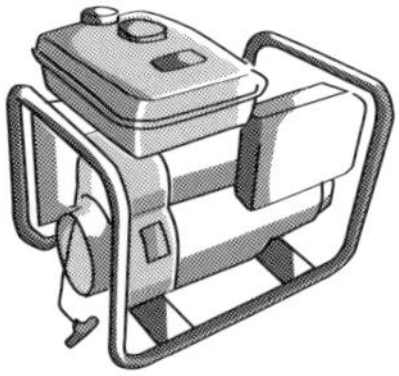

6 インドの履歴書・インドの面接

2011年8月、2度目のインド訪問の目的は大きく二つありました。一つは、スタートしたばかりの会社の形を整えること。もう一つは、新しいスタッフの雇用です。なにせ、最初に入った社員が入社当日に辞めてしまったのですから。社員数を増やさねばなりません。

わが社はプログラミング会社。南インドの片田舎で、プログラムに興味のある人間が見つかるのか、不安でした。ところが、さすがにインドは横の繋がりがモノをいう国。センティルが知人を通して「この知り合いがコンピュータに興味があります」と、次々に人を連れて来る。

何人もの「レジュメ（Resume）」が送られてきたので、それを見ました。

レジュメ、つまり履歴書です。

インドの履歴書の項目は、だいたいこんな感じです。

（1）Objective（志望動機）
（2）About Myself（自分自身のPRポイント）
（3）Academies（学歴）
（4）Area of interest（興味ある仕事の範囲）
（5）Computer Literacy（コンピュータの技能）
（6）Mini Project Details（自分が関わったプロジェクトの詳細）
（7）最後に自分の名前、住所、電話番号、E-mail、話す言語、宗教

インドの人の履歴書も、名前と住所、連絡先があって顔写真が貼ってあるのは日本と同じです。でもよく見ていくと、いろいろ特徴があるのが分かります。時には、父親の職業まで書いてあるものがあって、驚きます。

(1) 志望動機

会社に入りたいと思った理由です。これは日本とあまり変わらないですね。こんな風に書いてあります。

A self motivated person having sincerity & hardworking to get prominent in the discipline assigned by skill sets and work to the best of my ability.

「与えられた仕事で自分の能力を最大限に発揮できるよう、真面目に一生懸命努力いたします。」

というような感じでしょうか。

(2) 自分自身のＰＲポイント

これも日本と変わりません。インドのレジュメは、日本の履歴書と職務経歴書を足したような感じでしょうか。

こんな風に書いてあります。

・Smart Working and Truthful（手際よく働き、真面目です。）
・Confident and Flexible（自信を持ち、柔軟です。）
・Adjustable to all situations（どんな状況にも対応できます。）

日本人のＰＲポイントと、そう変わらない印象を受けます。

（3）学歴

学歴はちょっと特徴的です。インドでは（欧米でもそうでしょうか）逆編年体といって、一番新しい履歴から書くのが当たり前。大学の学歴が一番先に書いてあります。

そして、学歴の右端には「77％」というように、パーセンテージが。これがインドでは非常に重要なのです。これは、卒業試験の結果だからです。

インドの学校では、試験は卒業時の1回しかありません。卒業試験での結果が書いてあるのです。77％は正答率で、100点満点で77点というところでしょう。なかなか良い結果であることが分かります。

（4）興味ある仕事の範囲と（5）コンピュータの技能

（4）の興味ある仕事の範囲では、プログラミングがしたいとか、テスト作業もやりたい、みたいなことが書いてあります。

（5）のコンピュータの技能は、どんなプログラミング言語が使えるかや、どんなソフトが使えるか、などが書いてあります。

（6）自分が関わったプロジェクトの詳細

自分がしてきたコンピュータ関連の仕事についての説明です。ここらへんは、職務経歴書と違いがありません。

最後には、自分の名前と住所、話し言葉（タミル語など）、宗教、お父さんの名前や職業などが書いてあります。

インドでは、この「宗教（Religion）」を必ず書いてきます。

なぜなら、宗教によって生活習慣が違うからです。インドでは、ヒンドゥー教を中心にイスラム教、仏教、ジャイナ教などさまざまな宗教を信じる人々が混在しています。たとえばイスラム教徒だったら一日に何度か礼拝の時間があるし、食べ物も違っていたりして、配慮が必要だからです。

応募では、若い女性も多く見られました。インドでは女性の社会進出は比較的活発です。ただし、未婚女性に限りますが。結婚すると家に入る女性が増えてしまいます。この辺りが、なかなか難しいところです。

面接は、タミル語で行いました。センティルはおらず、面接官は私で、カルティクが通訳です。

インドの人は自信家が多いので、みんな積極的に話をしてきます。

ただ、ちょっと注意が必要です。

それは「インドの人は、大風呂敷を広げがちだ」ということです。

日本人なら、英語をある程度読み書きできても、「私は英語ができません」「話せません」と奥ゆかしく言いがちです。しかしインドの人は正反対。ちょっとかじっただけでも、「私はできます」と、堂々と言ってくるのです。

「できるプログラミング言語は？」

「ＣとＪａｖａができます」

本当かなあ?? といったところ。やらせてみたら、実は全然できなかった、ということも頻繁です。

ただし、わが社は日本でも、まったくの未経験者から研修を行い、プログラマーに育てています。言語はＰＨＰです。そこは入社教育次第、といったところでしょうか。

面接では、私も英語を使うことがたびたびありました。通訳係のカルティクが、「英語で質問してください」としきりにうながすのです。やはり、ただ応募者の発言を聞くだけでなく、こちらから質問することが必要です。

「Do you have any question?」などと尋ねました。

とにかく、この時は３人の入社が決まりました。

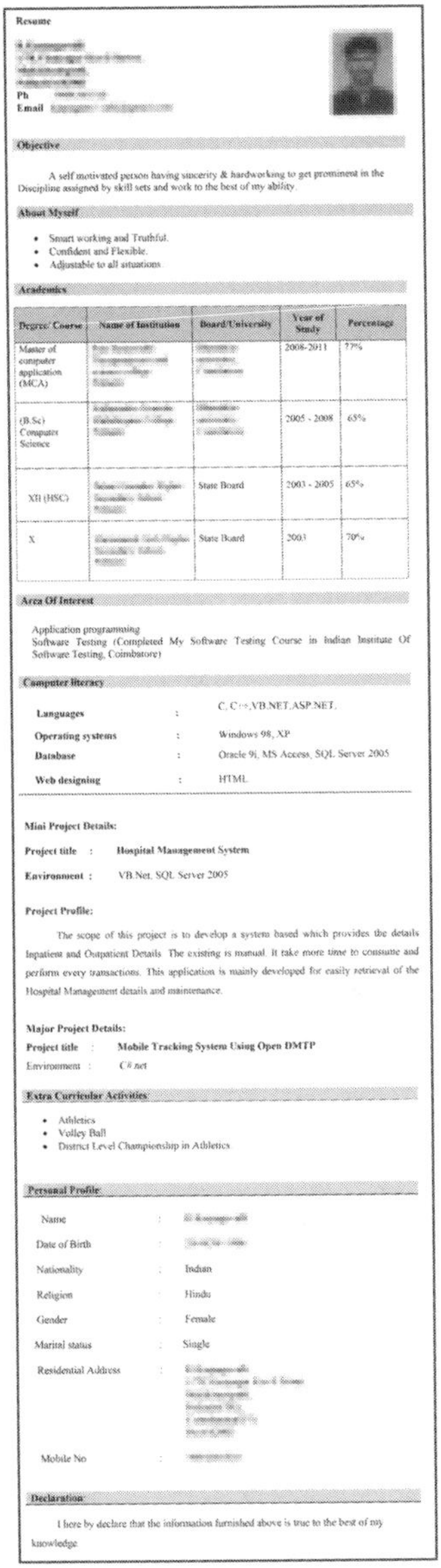

Resume

[illegible]

Ph [illegible]

Email [illegible]

Objective

A self motivated person having sincerity & hardworking to get prominent in the Discipline assigned by skill sets and work to the best of my ability.

About Myself

- Smart working and Truthful.
- Confident and Flexible.
- Adjustable to all situations

Academics

Degree/ Course	Name of Institution	Board/University	Year of Study	Percentage
Master of computer application (MCA)	[illegible]	[illegible]	2008-2011	77%
(B.Sc) Computer Science	[illegible]	[illegible]	2005 - 2008	65%
XII (HSC)	[illegible]	State Board	2003 - 2005	65%
X	[illegible]	State Board	2003	70%

Area Of Interest

Application programming
Software Testing (Completed My Software Testing Course in Indian Institute Of Software Testing, Coimbatore)

Computer literacy

Languages : C, C++,VB.NET,ASP.NET.
Operating systems : Windows 98, XP
Database : Oracle 9i, MS Access, SQL Server 2005
Web designing : HTML

Mini Project Details:

Project title : Hospital Management System
Environment : VB.Net, SQL Server 2005

Project Profile:

The scope of this project is to develop a system based which provides the details Inpatient and Outpatient Details. The existing is manual. It take more time to consume and perform every transactions. This application is mainly developed for easily retrieval of the Hospital Management details and maintenance.

Major Project Details:

Project title : Mobile Tracking System Using Open DMTP
Environment : C# net

Extra Curricular Activities

- Athletics
- Volley Ball
- District Level Championship in Athletics

Personal Profile

Name : [illegible]
Date of Birth : [illegible]
Nationality : Indian
Religion : Hindu
Gender : Female
Marital status : Single
Residential Address : [illegible]
Mobile No : [illegible]

Declaration

I here by declare that the information furnished above is true to the best of my knowledge

履歴書の一部。
宗教など見慣れない記入欄がある

7 会社の定款

２０１１年の２度目のインド出張では、会社の定款を作って提出しました。「定款」。

会社を作ったことがある人は分かるでしょう。

その会社の名前（商号）や住所、それから会社で行う、仕事の内容を書いたものです。

定款は日本でも重要です。なぜかというと、会社は、定款に書かれた仕事しかやってはいけないからです。そこで定款には、会社で行う仕事の内容を、なるべく幅広く書いておく必要があります。

定款を「会社の憲法」と言う人がいますが、そういう大もとになるものだと考えてください。

インドの会社にも定款はあります。しかも２種類あります。

ＭＯＡ（Memorandum of Association：基本定款）と、ＡＯＡ（Articles of Association：附属定款）です。

ＭＯＡには、

- **会社名**
- **登記された住所**
- **事業目的**
- **授権資本金額**

などが定められています。

またＡＯＡには、

- **会社運営の仕方**
- **株主総会の開催方法**
- **取締役会の開催方法**
- **配当について**

などが定められています。

シンプラン・ソフトウェア・インディア社のＭＯＡとＡＯＡは、共同経営者であるセンティルと相談し、ソフトウェアの開発・販売などはもちろん、教育用商品や本の販売、インドや外国のグッズなどの販売・輸出入なども含め、なるべく幅広く書いておきました。

２度目の出張時には、妻のユウコと一緒に、ティルプール市のアパレル工場まで行って、子ども服も仕入れてきました。何かが商売にならないか、と常に考えていたので、定款にもインドでのビジネスで考えられる、ありとあらゆることを盛り込んでいます。

作成は、地元の税理士に依頼しました。

インドでは、会社名を決めてから20日以内に、登記関連の書類とともに、ＭＯＡとＡＯＡを提出しなければなりません。

定款を提出できたのは、９月に入ってからです。インドのお役所仕事は、遅いとよく言われますが、時間がかかったものだと思います。

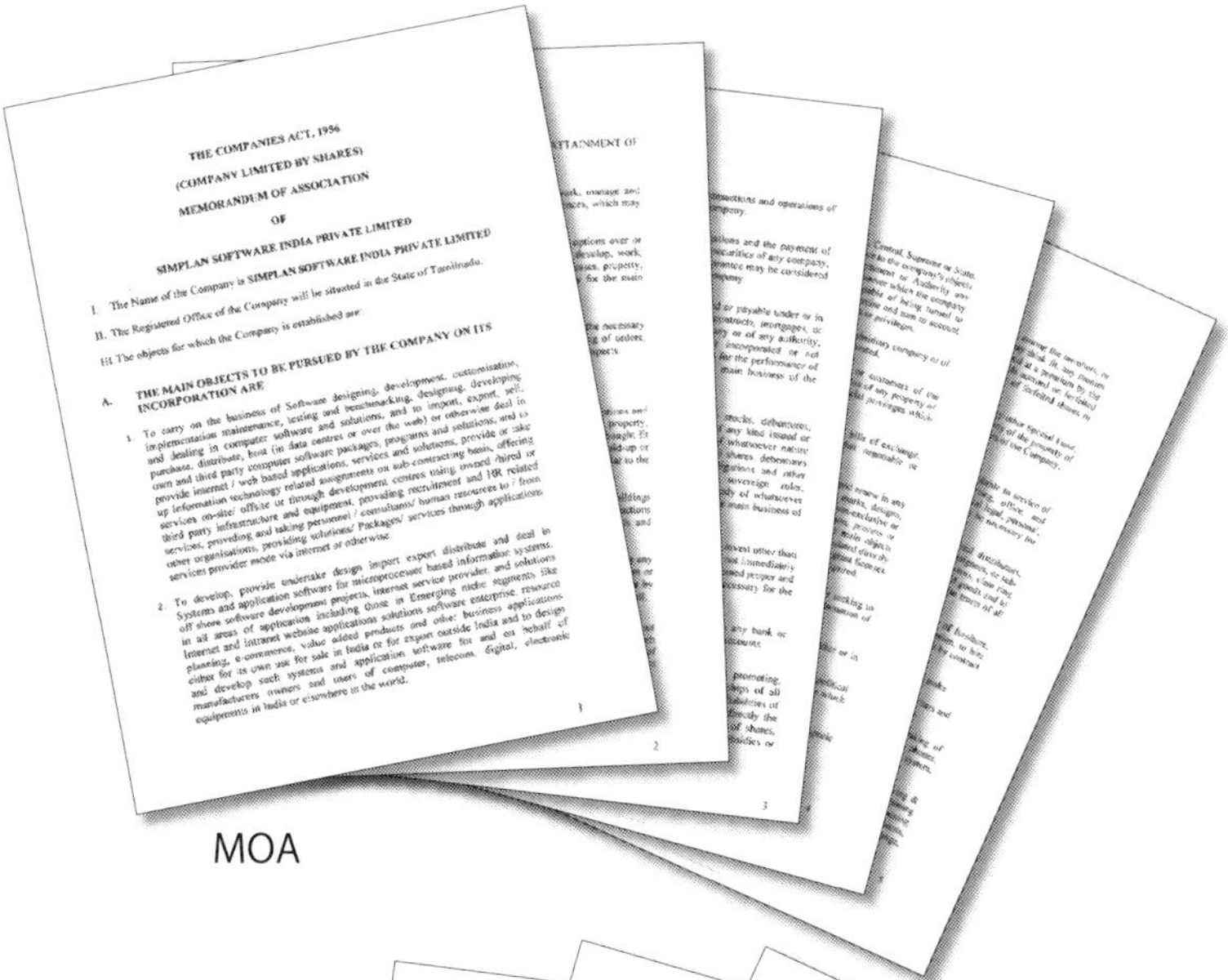
THE COMPANIES ACT, 1956
(COMPANY LIMITED BY SHARES)
MEMORANDUM OF ASSOCIATION
OF
SIMPLAN SOFTWARE INDIA PRIVATE LIMITED

MOA

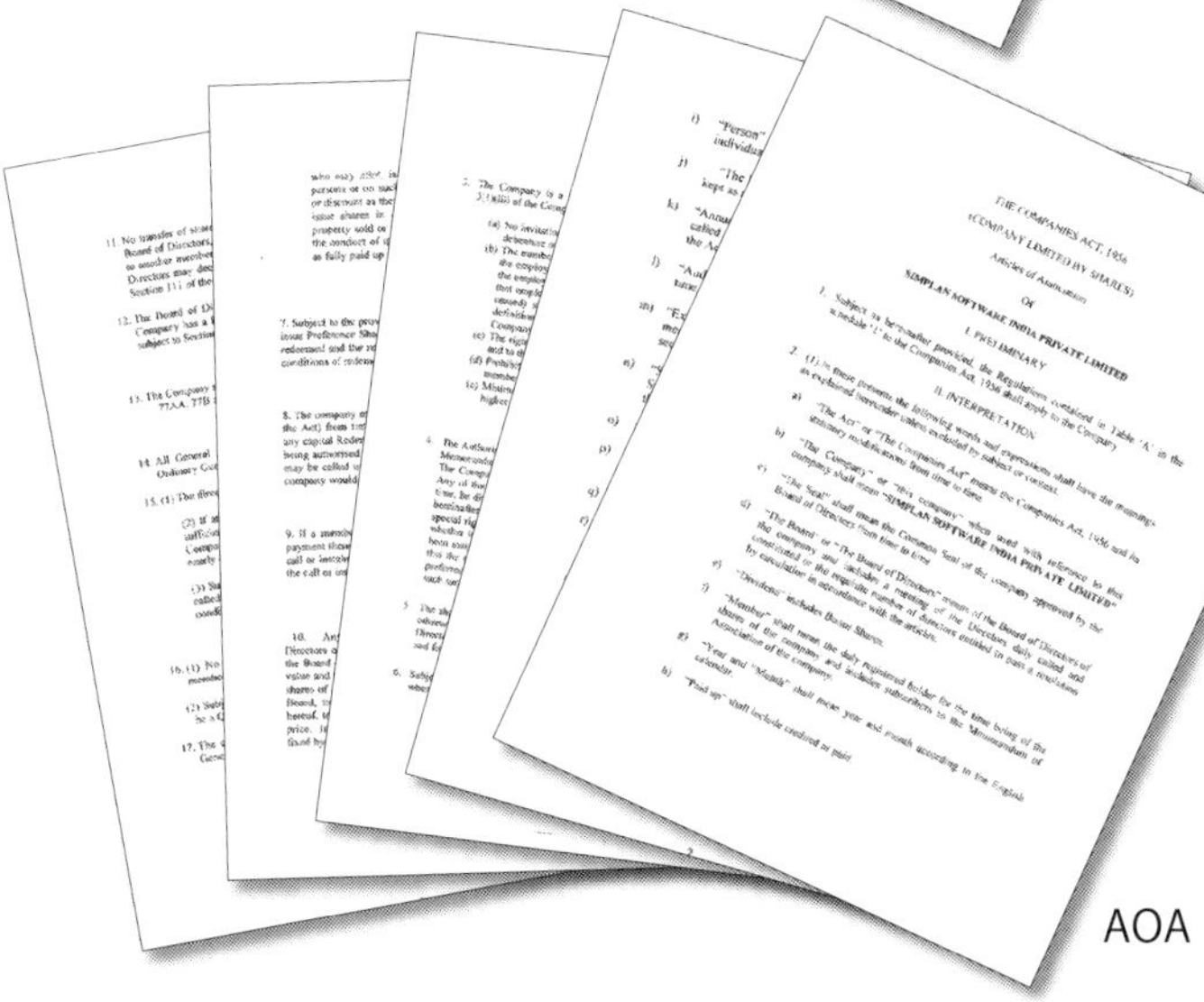
THE COMPANIES ACT, 1956
(COMPANY LIMITED BY SHARES)
Articles of Association
Of
SIMPLAN SOFTWARE INDIA PRIVATE LIMITED

AOA

第3章　インドの会社での日々

1 インドの会社で日本語教室を開催！

最初はカルティク、サティスの社員2人で始めたインドの会社「シンプラン・ソフトウェア・インディア社」。やがて面接でビジェイとラグ、ラガが入り、会社の体制が整ってきました。全員男性です。

前に言った通り、入社初日に社員が1人辞めましたが、その後はしばらくこの体制が続きました。

カルティクとビジェイは日本でのシステム開発の経験がありました。カルティクとビジェイがスカイプとメールで日本からの指示を受け、残りのメンバーに伝えるという方法で作業を行いました。

ラガとラグはプログラミングの知識も初心者でしたので、カルティクらが中心となって教えました。指導は、書籍が少ないので、主にネット上での情報を利用したものになりました。

並行して、現地では日本語の教育も進めていました。カルティクとビジェイが日本語を話せるのが大きなメリットでしたが、残りのメンバーも、

「どうやって日本語を覚えたのだ」

と、しきりに尋ねていたようです。また、カルティクが日本で使っていた日本語の教科書を使い、勉強もしていました。

最終的にラガは話せるようになりました。ラグはとうとう話せませんでした。

わが社での日本語教育は、今も行われています。

インドは親日国です。社員の学習意欲は高く、みな日本語を学びたいと思っています。

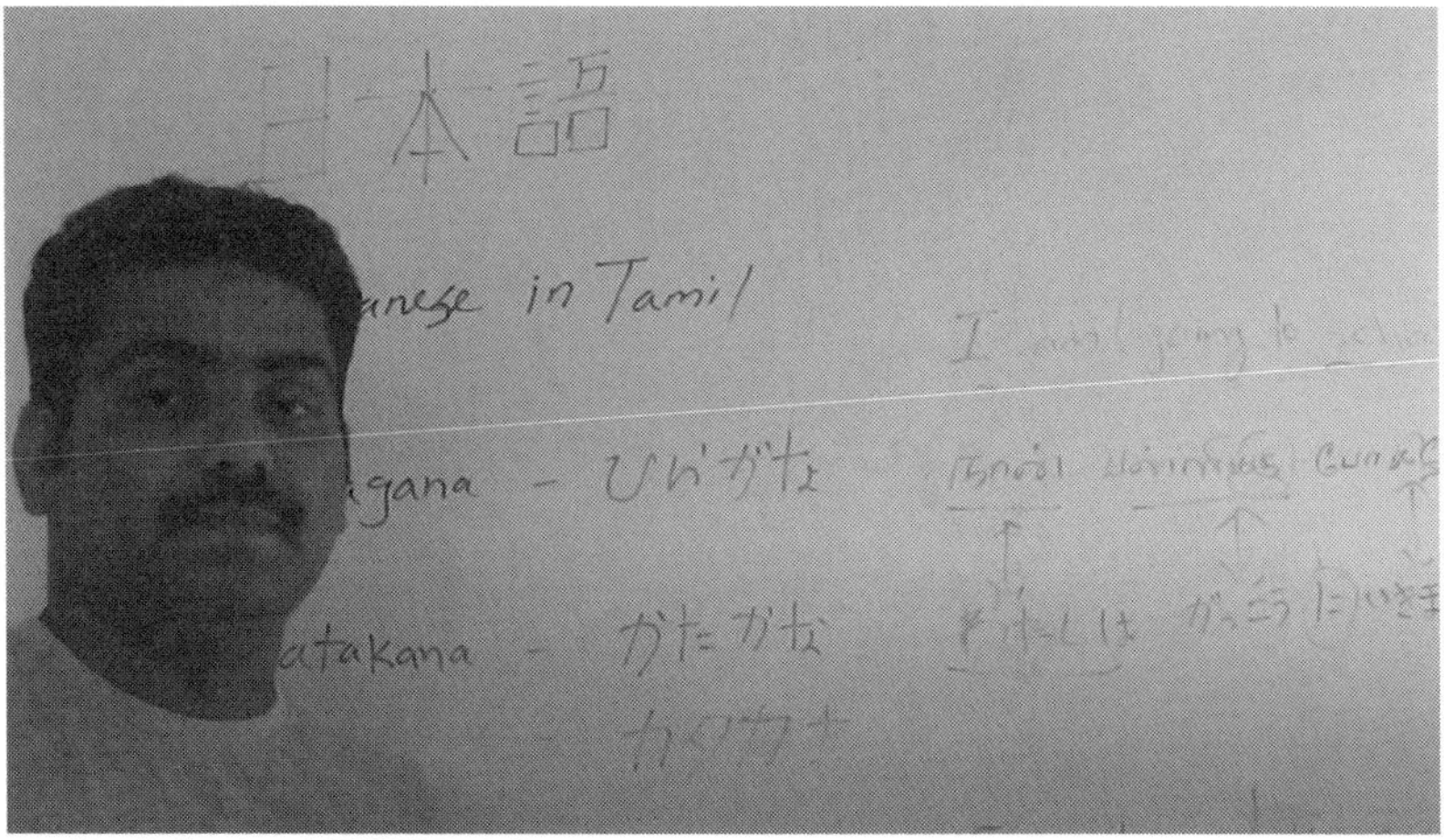

インドで作成した日本語学習用ビデオ

２０１７年には、ＹｏｕＴｕｂｅ上でビジェイが講師になって、新入社員向けにタミル語で日本語を講義する「Learn Japanese through Tamil for beginners」というビデオが作られました。これはレッスン８まであり、好評を博したようです。

また、スタッフに日本の文部科学省管轄の「日本語能力試験（ＪＬＰＴ）」を受験することも勧めています。（他に、民間機関が主催するＮＡＴ－ＴＥＳＴという検定試験もあります。）

ＪＬＰＴは、日本語を母語としない人の日本語能力を測定する試験。国際交流基金と日本国際教育支援協会の支援で行われており、全世界で60万人以上が受験する世界最大の日本語試験です。

国によって違いますが、おおむね7月と12月の年2回実施されています。ランクは、最高レベルのＮ１からＮ５までの5段階。試験内容は多肢選択方式で、言語理解・読解と、ヒアリングする聴解の試験があります。

ＪＬＰＴは、海外85の国と地域、全部で２４９都市で行われており、インドでもチェンナイ他、数都市で行われて

社内の様子（写真は最近のもの）

います。

このＪＬＰＴを受験した中で優秀な社員は、昇給があり、日本のわが社に３ヶ月招かれ、プログラミングの研修も受けられます。

複数回来日した者も含めて、インドから招いた社員は７名以上、十数回にも及びます。しかし、コロナ禍のため実施は中断されています。最近では、インドの社員が日本語や仕事を学ぶための大きなモチベーションになっていることは確かです。

2 インドの会社には「チャイ・タイム」が

3度目のインド出張は2011年の12月でした。最初のうちは、まだ会社の組織や仕事の流れが固まっていないこともあって、3ヶ月に1度は訪問しなければいけないと思っていました。しかし日本でも企業を経営していますので、年に2、3回の訪問に留まりましたが。

インドでの仕事は、多忙を極めました。なにせ、インドのスタッフに仕事の仕方を教えたり、進行を指示したりしながら、同時に日本のわが社・株式会社スリートへの指示も送るわけですから。毎日、仕事は深夜まで続き、日をまたぐこともあります。朝8時に起床して、9時から仕事。そして翌日の午前2時まで働いていました。スタッフの一部も、一緒に深夜まで働いてくれました。

ここで、インドでの仕事の一日をご紹介することにしましょう。

まず朝は9時に朝礼。日本の会社と一緒です。

最初は朝礼をしませんでしたが、途中から始業のけじめがつけられるようにと、導入しました。マネージャーのサティスが連絡事項などを伝え、1日の始まりに元気を入れます。

それから仕事を開始します。仕事は、日本の会社から依頼されたもの。日本と打ち合わせをして、業務を進めていきます。日本とは3時間半の時差があるので、日本では午後からインドとの打ち合わせが始まる、といった感じです。

昼休みは14時から15時まで。遅いようですが、14時に街じゅうのサイレンが鳴るのです（12時、13時

インドの昼食。皆で床に座って食べる

にも鳴るようです）。それがインドでは普通なのでしょう。サイレンが鳴ると、「ああ昼だ」という感じです。

社員の食事は、おおむね弁当。中身は、種類はいろいろあれど基本はカレーです。本当にインドの人はカレーをよく食べます。食事の1種類としてカレーがあるのでなく、食事はすべてカレーのバリエーションといった感じです。

終業は18時半。通常の社員は、残業をしてもだいたい20時頃には帰宅します。

こう書くと、「なんだ。日本の会社と変わらないな」と思うかもしれません。

しかし、違うのです。

インドには独特の「チャイ・タイム」という習慣があります。

午前11時から15分間、それからなぜか終業間際の17時から15分間、チャイを皆で飲む休憩時間「チャイ・タイム」が設けられているのです。

チャイとは、紅茶に牛乳と砂糖を入れ、甘く煮出した飲み物。ご存じの方も多いでしょう。シナモンやカルダモン、クローブ、ショウガなどの香辛料を加えた、スパイシーな

行きつけのチャイ店。チャイ・タイムは重要

マサラ・チャイが人気です。

インドの人は、1日2回、チャイを皆で飲む休憩を必ずとるのです。深夜残業をする時には、夜にもう1回チャイ・タイムを設けます。

インドではこれが欠かせません。

近所にチャイ専門店があって、当時は1杯6ルピー（11円）くらいで売っていました。ちょこちょこ値上げがあって、今は11ルピー（17円）です。価格上昇は世界共通なのですね。

他には、「メドゥ・ヴァダイ」（Medu Vadai）という、柔らかくやや小ぶりなドーナツもあります。甘くなく、野菜が入っていますが、なかなか美味しいです。

ちなみにチャイ代とお菓子は会社持ち。

会社を始める時、パートナーのセンティルから、こう言われました。

「求人広告には、チャイ・タイムがあると必ず書くように。でないと誰も働きに来てくれませんよ」

それくらい、チャイ・タイムはインドの人に必須の習慣なのです。

3 インドの停電

インドでの仕事や生活で、一番大きい悩みは停電。

インドの電力は、7割以上を石炭火力に頼っていますが、その備蓄が足りていません。

モディ首相が2020年には全インドで24時間無停電達成を目標に掲げました。しかし、まだ達成にはいたっていないようです。

特にわがシンプラン・ソフトウェア・インディア社のある南インドでの電力不足は深刻。

会社のあるヴェルールでは、2011年当時は、朝10時から12時までと、午後4時から6時まで、また午後8時くらいから、必ず1、2時間の停電がありました。

1日5~6時間は停電しているわけです。我々のようなIT企業はパソコンが仕事の基本ですので、電力が命の綱。

停電するたびに作業がストップしていては経営が成り立ちません。

それに加えて深夜にも停電が起きるのです。インドは暑いので、夜寝る時にはシーリングファン（天井に取りつけた扇風機）を回していますが、これが止まってしまいます。私は暑いのは得意な方ですが、さすがに耐えられません。

そこで導入したのが、無停電電源装置（UPS）と発電機（ジェネレーター）です。

最初に設置したのは無停電電源装置（UPS）でした。

UPS（無停電電源装置）

　わが社で導入したUPSは、デスクトップパソコン程度の大きさの本体に、トラックに搭載するようなバッテリーを3台繋げた装置。普段は電力をバッテリーに貯めておき、停電が発生すると、即座に自動で起動して電力ストップを防ぎます。スタッフからの要望が高かったので、2011年12月、3回目のインド出張で導入しました。

　会社では、パソコン6台と電灯、シーリングファンなどを使っていましたが、これ1台で3時間半ほど保つようです。会社にやってきた業者が4時間半かけて設置してくれました。

　ただし、UPSは充電時間が必要ですし、長時間の停電には向きません。

　そんなわけで今度は、発電機（ジェネレーター）も導入することにしました。日本のホンダ製の大型発電機で、ミカン箱の倍くらいあります。ガソリン（ペトロール）と灯油で動作し、発電します。

　インドでは、ちょっと余裕のある会社ではどこも発電機を持ち、停電に備えています。難点を言えばジェネレーターは人の手で起動するので、すぐには動き出さないことで

停電時に活躍するガソリン式大型ジェネレーター

しょうか。それに、インドではガソリン代が非常に高いので、できればジェネレーターは使いたくありません。

これで、普段の2時間程度の停電にはUPSで対応。長時間に及ぶ停電には、ジェネレーターを起動して対応する体制ができました。

ちなみに、電気を食う冷蔵庫には接続してありません。冷蔵庫は停電が起きれば、冷えなくなります。中に入れた飲み物や食料などが、温まるのはあきらめています。だから、インドの冷蔵庫にはほとんど物を入れないようにしています。アイスクリームも溶けてしまうので冷凍庫には入れておけません。かろうじてビールを入れておくくらいでしょうか。

停電は、それからもひんぱんに起きました。半日停電していることもしばしばでした。最近ではちょっと減りましたが、無くなることはないでしょう。

インドでの仕事は、停電との闘いでもあるのです。

4 インドでの給料の払いかた

私が、インドの会社で工夫していることの一つは、給料の払いかたです。

通常、現地法人の場合は、給料は経費がこれくらい、給料の総予算がこれくらい、としてざっくり渡すのではないでしょうか。1人アタマ20万円なら20万円として人数分払い、向こうのマネージャーがいくらか利益を取って、社員に支払うという形式が一般的でしょう。

しかし、シンプラン・ソフトウェア・インディア社の1人1人の給料は、私が毎月、彼はこれだけ、彼女はこれ、と決めるようにしています。そして人数分の経費を足して、送金しているのです。

最近では禁止されていますが、インドはリベートの多い世界。その方式だと、マネージャーが利益をどんどん吸い取ってしまい、こちらがいくら払っても、末端の社員には届かなくなってしまいます。こちらの支払う分も増えます。

そこで私は、各社員の給与額を正しく決めることにしたのです。こうすれば、余分な支払いを節約することができ、インドの会社でもピンハネをされる余地がなくなります。

そんなことをして、インド側からは文句が出なかったかって？

この件に関しては、パートナーのセンティルとかなり議論をしました。インドの人は口達者で議論好き。黙っていると良いように解釈され、主張すべき点はきちんと主張しないと同意したと見なされます。

私は「これではこちらの利益が出ない！」と主張し続け、ついに「好きにしてください」と言わせるまでになりました。相互の信頼あってのことですが、時には徹底的に議論することも大切です。

5 スタッフの給料

ここで、気になることを話しましょう。インドのスタッフの給料の額です。

インドの会社の初任給は、会社ができた当時は月額1万ルピー（1万6千円程度）でした。しかし、最近ではインド経済の成長もあって、賃金がどこも上昇。1万5千ルピー程度にまで上がっています。

会社のあるヴェルールはまだ田舎町ですが、都会では2〜3万ルピーが相場だと言われています。

昇給は年1回で、有給休暇は年12日。ひと月に1日ずつもらえる計算です。

毎年、スタッフ面談で昇給について話します。商売上手で、とにかくよくしゃべるインドの人との折衝は、かなり骨が折れます。

昇給率は、おおむね年10％以上。日本からすると羨ましい限りですが、1桁％だと納得してもらえません。

2桁％だと、スタッフの両親も喜ぶようです。1桁％だと不満が出てきます。

「パーセンテージにこだわるなあ」と単純に思っていましたが、そのうち怖ろしい考えに至りました。

インドの彼らは、金額ではなく複利で考えているのではないだろうか。複利計算だと、最初は大した額でなくても、年を経るにつれ、飛躍的に昇給していきます。年率10％ずつ上がっていけば、8年くらいで倍額になるんじゃないか。

「君たちは、パーセンテージが大切なんでしょ？　金額はそれほど気にしないんでしょ？」

一度、こう尋ねてみたことがあります。でも彼らは首を横に振りました。

「いえいえ、金額もやっぱり大切です」

そう答えましたが、本音はどうなんでしょうか。


順番にスタッフと面談を続けていたある日。不思議なことに気づきました。

面談が進むにつれ、不満が増えていくのです。

なぜかと思ったら、スタッフ皆で「僕は、いくら上がった」と言い合っていたのです。そうして、誰それがいくら上がったなら、自分ももっと上げてほしい、と面談に及びます。

昇給の面談が、すんなり終わったことなどありません。

「もうちょっと上げてください。あと100ルピー、200ルピー！」

無理だ無理だ、会社が赤字になる、といっても、最後にはこちらが説得されて折れてしまいます。

100ルピーは少額の増加ですが、その「もっといいところを目指すぞ！」というエネルギーと交渉力には頭が下がります。


また、前に説明したように、インドの会社では日本語検定の受験を勧めています。最上級のN1から入門編のN5までのランクがありますが、やる気を起こさせるために、資格をとったら昇給すると定めています。

N5なら月々7千ルピーの昇給。N4なら1万5千ルピー、N3なら2万ルピーの昇給です。

初任給が月1万5千ルピーですから、この額の大きさが理解できるでしょう。

ところが、この規定が思わぬ波紋を呼びました。

最近、N3を取得したスタッフから抗議の声が上がったのです。

「N5からN4に上がった時は8千ルピーも昇給した。N4からN3に上がっても5千ルピーしか昇給しない。これはおかしい！　N3の時も8千ルピー上げて、2万3千ルピーの昇給にすべきだ」

確かにN4からN3のアップは5千ルピーです。

しかし、これには古株のスタッフからの助言があったのです。

「あんまり日本語検定で昇給をしすぎると、皆、IT技術そっちのけで日本語の勉強に熱中しちゃうよ。N4とN3は難易度がさほど変わらないので、あまり上げないほうがいいかも」

インドの人のたくましさを見せられた思いでした。インド経済の元気のよさは、こうした要求の強さ、ハッキリとした意思表示に現れているのかもしれません。

ちなみに2021年から、新たな手当が加わりました。結婚手当と子ども手当です。結婚手当は、結婚して相手が働いていない場合、月々3千ルピー。子ども手当は子ども1人あたり月々千ルピーを支払う、というものです。おかげ様で、スタッフの間では好評のようです。

6 インドの会社のDX化

インドの会社との連絡は、当初メールとスカイプ（Skype）で行っていました。前にも説明したように、スカイプは無料で使えるビデオ通話ソフト。旧スカイプ・テクノロジー社が開発して人気となり、後にマイクロソフト社が買収しました。

当社では、日本とインドのオフィスで、24時間スカイプを繋ぎっぱなしにしていました。

初期の仕事の進め方は、口頭の伝達が中心で、アナログ的でした。

まず、日本での仕事が来たら、インドに頼む分を決め、スカイプを通じて日本からインドに口頭で説明するのです。説明は、日本語に詳しいインドのスタッフ、カルティクとビジェイが、他の社員に伝えて、作業を開始します。

データはすべて日本のサーバーにあります。サーバー上のプログラムを修正し、完成すれば、それを日本側でテストします。不完全なところは、日本側で再度指摘し、インドに送って修正を行います。

ところが口頭だと、言った言わないの問題が発生します。ただでさえ、伝達がしにくい日本語とタミル語。伝えたはずのことをインドのスタッフが覚えていないこともしばしば。

日本でも同様の問題が起きていたので、作業にはレッドマイン（Redmine）というツールを導入しました。

レッドマインは、チケットで作業をやりとりするプロジェクト管理ツールです。レッドマインでは、

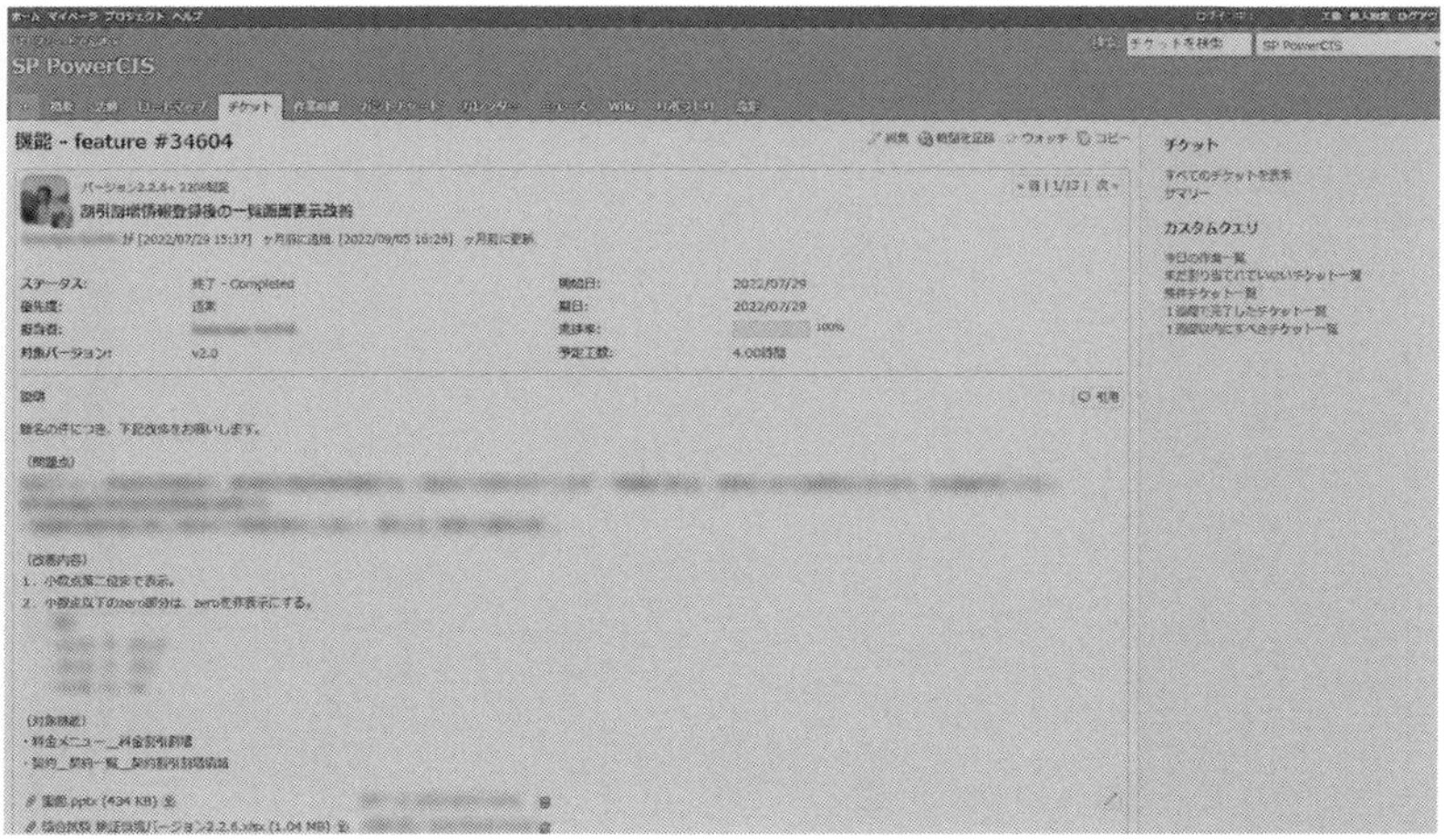

作業の指示書となる「チケット管理ツール」

1枚のチケットに仕事の内容を書き込み、相手に送信します。チケットを受け取った相手は、内容を読んで作業にかかります。作業が終われば、作業を頼んだ相手にチケットを返します。

基本的にチケットのやりとりで作業が進んで行くのです(わが社は基本的にウェブ・アプリケーションが中心ですので、作業データのある場所は、URLで指示します)。

指示内容はすべてチケットに書かれるので、連絡ミスがなくなります。また、今どの段階で作業が止まっているのかも、チケットを持っている人を調べればすぐ分かり、停滞がなくなります。

ただし最初のうちは、日本も含めてチケットのやり取りが面倒らしくて、浸透するまでに時間がかかりました。今では、すべての作業がチケットで進行するので、作業の流れが効率的になっています。

2018年頃からは、同じマイクロソフト社のチームス(Teams)を導入しました。チームスは、グループウエアと呼ばれるソフト。議題ごと(たとえばクライアントごと）に会議室を作り、必要な情報をそこでやり取りすることができます。参加者同士のチャットやデータ交換もでき、ビデオ通話やミーティングもできます。

これは日本の話ですが、チームスを入れるまでには、さまざまな試行錯誤がありました。社内での打合せでは、以前から、グループウェアを入れる必要は痛感していました。

最初、使っていたのはフリーウェアの「アイピー・メッセンジャー」です。けれど、アイピー・メッセンジャーは社内でしか使えません。そこで外に出た時のやり取りはＬＩＮＥで行っていました。でも（当然ですが）、社員のＬＩＮＥのＩＤを聞くのは個人情報の侵害にあたります。

それで検討したのが「チャットワーク（Chatwork）」や「スラック（Slack）」、それにチームスです。特にチャットワークは、ＩＴ企業の中でも多く採用されていました。ただ、ＷｏｒｄやＥｘｃｅｌのデータを送った時に、一度ダウンロードしないと閲覧できない点が課題でした。

チームスなら、ダウンロードしなくてもそのまま閲覧できます。月額使用料も、チームスとチャットワークでは双方1人1ヶ月５００円程度と、そんなに変わりません。

そんなわけで、チームスの採用が決定したのです。チームスは、２０１８年の採用当初はさほど有名なグループウェアではありませんでした。後に官公庁が採用してから、広がっていったように思えます。チームスでの連携は、新型コロナが広がり、当社でも在宅ワークを行い始めてから、大きな威力を発揮するようになりました。（なお、これも日本ですが、電話機のシステムも社内サーバーで自作しているので、新型コロナの発生時も今も、とても役に立っています。）

日本の会社では、インドの会社が始まるお昼過ぎになると（時差が3時間半あります）、インドのス

チームスの人気コーナー「Say Hello！」。皆が書き込んでくる

タッフとの指示合戦が始まります。

「ここはこうなので、こうして欲しい。ここが間違っているから直してくれ」

との指示が飛びます。インド側では、日本からの指示を受け取り、対応にてんてこまいです。

こうして、ネットのグループウェアで繋がる日本とインドですが、少々困ったことがありました。

インドのスタッフが朝出社したら、私に「おはようございます」と頻繁にチャットで話しかけてくるのです。毎日、さみだれ式に来るので、いちいち返事をするのは大変。

そこで、チームスに専用の「Ｓａｙ Ｈｅｌｌｏ！」というコーナーを設けました。場所を設けたので、おはようはここに書いてくれ、というわけです。

それから、皆はここに「おはようございます。」と書くようになりました。最初はインドと日本、双方で作っていたのですが、そのうち一つにまとめました。

日本もインドのスタッフも「おはようございます。いい一日にしましょう」などと書くので、とても楽しいコーナーになっています。

7 インドはデータ通信速度が遅い！

インドの会社で仕事をしていて困るのは、データ通信速度が遅いことです。

わが社はIT企業で、電力会社向けの顧客情報管理システム（CIS）などを作っています。CISとは、電力会社への一般ユーザーの申し込み、契約、月々の電気料金の計算、請求書の発行。銀行への引き落し依頼や、クレジットカード会社などとの連携。そうした一連の作業を行えるソフトウェアです。

我が社のCISは、いわゆる「ウェブ・アプリケーション」。会社にサーバーが置かれ、そこからブラウザを使って、システムを開き、利用する方式です。

そういうわけで、インドの会社には、データは一切置いていません。インドのスタッフは、日本の会社のサーバーにアクセスし、必要なプログラムを作ったり、修正したりします。

そのメリットは、一つにはプログラムやデータの盗用を防げることです。

インドのスタッフは信頼していますが、一方で企業、特にIT企業のセキュリティ対策は非常に重要な課題です。データ漏洩は絶対に防がなくてはなりません。無用な危険を侵さないことです。

これはトホホ話なのですが、以前にインドの会社でバグの修正を行いました。しばらくして、インドのスタッフは「バグが直った」と報告してきました。しかしバグは直っていませんでした。肝心のプログラムを直さず、間違っていたデータの数値だけを修正していたのです。

そんなこともあって、インドのスタッフにはデータは触らせないようにしています。

最近ではGitなど、サーバーで作業履歴を管理できる便利なツールも増えてきました。

Gitとは、最近人気のバージョン管理ツールです。バージョン管理ツールとは、ソフトを書き直したら、その履歴を記憶してくれるもの。あ、失敗したなと思ったら、すぐに以前の履歴に戻れるので、やり直しができます。先のバグ修正の失敗は、管理ツールにサブバージョン（Subversion）を使っていた時代の経験です。Gitは分散型なので、そういう失敗は起きません。

こうしたツールを利用するためにも、サーバーの利用は必須です。

ところが、肝心のデータ通信速度が遅いのです。

データを更新したり、ページを切り替えたりする時に、待ち時間が生じます。日本で作業する時みたいに、パッパッと切り替わってはくれません。最悪の状況では、インターネットが止まってしまいます。そうすれば終わり。作業がさっぱり進まなくなります。

日本は一時期、世界に比べて通信速度が遅い、ネットに接続できるポイントが少ない、と批判されていました。だから日本に比べれば、世界のどこでもネット接続は速いという劣等感があります。でも錯覚です。それは韓国や中国や、シンガポールの話。インドもIT立国のイメージはありますが、南インドの田舎ではなかなかそうもいきません。

グループウェアにチームスを採用したのも、国をまたぐ通信でもスピードが落ちないのではないか、と考えたのが理由の一つです。マイクロソフト社のサービスなら、世界規模で展開していますから。日本のサービスだと、海外では別回線になって通信速度がもっと落ちるかも、と心配したのです。

停電も毎日数時間起きますが、データ通信速度の遅さも困りもの。

外国で会社を続けるのは、大変なのです。毎日、ふうふう言いながら仕事を続けています。

8 インドの人は本当に数学が得意か？

インドの人はよく、数学的な頭脳を持っていると言われます。
古代からインドでは数学の研究が進み、０（ゼロ）を発見したのもインドの人です。コンピュータの２０００年問題が表面化した時には、インドの技術者をアメリカの大手ＩＴ企業がたくさん雇って、回避したというのも話題になりました。

特に近年では、ＩＩＴ（Indian Institutes of Technology）こと「インド工科大学」の卒業生の優秀さが知られています。ＩＩＴは、１９５１年にインドの初代首相ネルーによって設立された、国立の工学と科学技術の大学。インドに23もの分校があり、我がタミルナドゥ州にも、チェンナイに設置されています。

この大学の卒業生は、全世界で引っ張りだこだそうです。
また、グーグルのＣＥＯ、サンダー・ピチャイ氏に代表されるように、最近はＩＴ大手企業の社長や幹部にもインドの人が目立ちます。こう見ていくと、いかにもインドの人の数学的な頭脳を象徴しているようです。

でも私には、インドの人が数学に強いという実感はありません。うちの会社が南インドの田舎にあるせいかもしれませんが、飛びぬけた数学的感覚のある人はそうそういないようです。
たとえば、インドの子どもが学ぶことで有名な、２桁の掛け算。

試しにうちのスタッフに「19×19は？」と聞いてみたことがあります。

すると、「忘れた」と言うのです。「知らない」とは決して言いません。ふふふ。

もしくは、「そこまでは習わなかった」と言います。

聞いてみると、2桁の掛け算は覚える程度が学校によってバラバラなんだそうです。もしくは、「20×20の段」があったとしても、覚えられない生徒も多いとのこと。


じゃあ、「インドの人は数学的な頭脳を持っている」はどうなったんだ？　となりますが、インドは14億人もの人口を有する国。日本の10倍ですから、単純に計算してもトップクラスの人材が10倍いるわけです。

中でも、前述したＩＩＴの生徒は、その巨大な人口から選抜された優秀な人々。多くは国内に留まらず、英語力なども生かして、欧米へ羽ばたいていくわけです。そうした伝説が、欧米のＩＴ企業によって形づくられたとしても不思議ではありません。

また、欧米でもＩＴのような職業は、社員を高給で雇うことでも知られています。

インドは貧富の差が非常に大きな国。そこで、底辺から抜け出したいと思っている、頭脳に優れ、意志の強い人材がＩＴに集まったことで、新たな伝説が生まれたとも考えられます。

プログラミング言語というのは、英語に近い命令語を使います。

インドの人は必ずしも、皆英語が得意というわけではありません。

しかし、英語は公用語で、よく使われています。プログラミング言語には、言葉としての親しみやすさはあったのではないでしょうか。そんな相乗効果で、優秀な人材がＩＴに来たのかもしれません。

なお、インドの高等教育（総合大学、単科大学、短大、専門学校なども含む）への進学率は25％程度とされています（ジェトロ「インド 教育（Ｅｄｔｅｃｈ）産業調査（２０２１年１月）」より）。また、海外への留学者数は、コロナ前の２０１８年で約37・７万人（文部科学省）と、中国の約１００万人に次いで世界2位です。

わが社のインドのスタッフは、決してきらびやかな数学的・理数的な才能を持っているわけではありません。ただし、一つ驚くのは、とても真面目だということです。

日本から提示された仕事に、真面目に取り組む姿勢は、とても心強いものです。

数学的頭脳を持っているというより、この真面目さがインドの人のなによりの美点ではないでしょうか。

そう思いながら、インドのスタッフの成長を、日々楽しみに見守っているのです。

9 インドの人は数字に細かい

先ほどの「インドの人は数字に強いか」という話の続きですが。私の実感として「そうでもないように思う」とは書きました。

ただし、「数字に細かい」という点は確かにあるようです。

たとえば、「あの店までの距離はどれくらいある?」と尋ねたことがあります。

スタッフはこう答えました。

「5・2キロメートルくらいです」

ところが、しばらくすると訂正して来ました。

「さっきの間違っていました。5・3キロメートルです」

こちらとしたら、0・1キロメートル程度、100メートルの違いなんてどうでもいいのに、と思うでしょう。でも、彼らはこだわってきます。各個人の性格なのかもしれませんが、そうとも言い切れない印象があります。

食事や旅行にしてもそうです。

インドを訪れると、各家庭によく招かれたり、旅行に連れて行ってくれたりします。

しかし最初は、実はタダではありませんでした。

「旅行で、食事代はこれだけかかった。ビール代はこれだけ。ガソリン代はこれくらいかかった」

と、細かく請求してきました。

額は日本円にしてはそれほど大したことはありません。しかし、ことあるごとに請求されるので、細かさがだんだん嫌になってきました。

そこで、私は、インドのスタッフにこう言ったのです。

「君たちを日本に招いた時は、私は旅費から食事代、宿泊費などを全部負担している。接待をしているわけだ。だから、私がインドに来た時は、逆に君たちが私を接待してほしい。日本には、おもてなしの精神がある。君たちも、私をもてなしてほしい」

それから、細かな請求はなくなりました。

一方で、相変わらず彼らスタッフは、私をもてなしてくれます。

昼ご飯は、週に2、3回はカルティクらの家に行って、お呼ばれをします。他のスタッフやその親戚、友人たちの家にもひんぱんに行ってご飯を食べます。

なんだか、日本の昭和の頃に大家族の家に行って、ご飯を食べているような気分です。

ただ、インドの家には食事の席が多くありません。客人が男性と先に食事をし、その後に家族（女性）が食事をします。（イベント時にも男性が先に食事をとります。）

スタッフの家でご飯を食べていると、なごんで仲良くなれます。

ただし、やっぱり昇給や商売では、彼らはぐいぐい駆け引きをしてきます。しっかり細かく、したたかです。ビジネスとつき合いは別。そういうことを考えながら、彼らとの毎日は続いていきます。

10 インドのスタッフの技術力

わが社は、日本でプログラマーを募集する時も、「未経験者歓迎」としています。

インドでもそうです。もちろん、経験者だと嬉しいのですが、南インドの田舎町、ヴェルールにはなかなか経験者がいません。インドのスタッフは、おおむねスタッフや知人の紹介などで、応募して来ます。


ではインドのスタッフの、プログラミング技術はどうなのか。正直にいえば、日本のスタッフに比べてまだまだ、という印象です。


わが社のインドとの仕事の進め方は、前に書いた通り。

日本からの依頼に合わせて、インド側が作業を行い、完成品を日本でチェックして納品します。

当初は、これをスムーズに行うのが大変でした。日本のスタッフに言わせると、

「インドのスタッフは、こちらが言ったことしかやってくれない。(プログラムを書く上での)細かな気配りがない」

「似た部分をコピペして、そのまま使ってくる。作業が雑だ」

厳しい評価でした。

なかなか思ったような仕上がりのものが出来ず、日本のスタッフで仕方なく大幅な修正をして、納品したことも多々あります。

問題点を考えるに、技術力の差もありますが、日本語の理解力も原因の一つのようです。

日本語を分かっていないと、細かな指示やニュアンスを理解できず、間違ってしまうのです。メンバーの書いてくる日報を、英語にしたこともあります。

しかし彼らが日常使うのはタミル語。英語は必ずしも得意ではないことが分かりました。日本のスタッフも英語が得意ではないので、双方苦労するだけです。

結局、この案は挫折しました。

さらに、日本との開発の仕方にも差がありました。

わが社に入る前に覚えた古い手法を、当時のままのやり方で使っているのです。

そこでわが社では、インドのスタッフの技術力を高めるため、さまざまな試行錯誤の末、「再教育プログラム」を実施することにしました。

わが社では、プログラミング言語にＰＨＰを使っています。まず、その書き方の基本ルール（ＰＳＲ）を再度覚え直させるのです。次に課題を与えてプログラムを作らせ、正しい方法で作っているか、プログラムにムダな記述がないかなどをチェックします。

プログラミング言語とは便利なものです。お互いの言葉は知らなくても、プログラミング言語は世界共通。プログラム作りを介してコミュニケーションすることができます。日本人でも韓国人でもアメリカ人でもインド人でも、プログラムのやり取りで分かりあえるのです。

わが社は、こうした方法で、インドのスタッフの技術力向上を目指しています。技術力に関しては、まだスタッフの間でまちまちです。しかし、真面目で努力好きな彼らのこと。きっと、高い能力を獲得してくれるに違いありません。

11 子ども服を仕入れる

インドでは、さまざまなビジネスのネタがないか考えていました。

その一つが、服の仕入れです。インドは全国的に繊維産業が盛んです。繊維・織物の輸出額では、中国に次いで世界2位。デカン高原で生産される質の高い綿花から作った、繊維製品を多く輸出しています。中でも、会社から100キロメートルほどの場所にあるティルプールの街は、インドを代表するニットウェア産業の輸出拠点。「インドのニットのメッカ」「Tシャツ・シティ」と呼ばれています。ティルプールは日本企業とはあまり取引がありません。地元に世界的な企業もないため、日本では無名です。ただし、欧米のアパレル企業とは多くの取引があり、有名なのです。

ティルプールに行けば、膨大な数のニットウェアの生産工場があります。さらに、Tシャツ、ポロシャツから婦人服、子ども服まで数々の繊維製品が積まれた巨大な倉庫もあちこちに建っています。欧米を代表する数々の服飾ブランドが、ティルプールから商品を輸入しているのです。

その隣のコインバトール市も「インドのマンチェスター」と呼ばれるほど繊維産業が盛んだった都市。ティルプールの一帯は、一大繊維産業エリアなのです。

妻のユウコは、子ども服メーカーで働いていた経験があります。以前から、子ども服を日本で売りたい、という夢を持っていました。

私は考えました。本業のIT事業は、いつまた大変になるかもしれません。もしもの時に、妻にもできる仕事があったら、事業の助けになるかもしれません。たとえば、ティルプールで1着200円でT

ティルプールでの服の仕入れ。膨大な商品が倉庫に保管されている

シャツを仕入れ、日本で千円で売れば８００円の儲けになるではないか。

「チャレンジしてみようか」

そう思って、妻と一緒に行くことにしました。

現地で向かったのは、子ども服の工場……、というか倉庫でした。

大きな倉庫。学校の体育館の半分くらいある巨大な構内に、見渡す限り、服が山積みしてあります。服はそれぞれ紐でくくってあります。

量に、思わず圧倒されました。

しかも、衣類を積んだトラックが次々にやってきます。トラックが停まると、倉庫から人がいっぱい出てきて、一列に並びます。そしてバケツリレー方式で、服の梱包をほいさっ、ほいさっと運び入れていくのです。

服の名産地のエネルギーに、驚かされる思いでした。

私たちは、その倉庫で、服を選んでいきました。

服はどれもB品。不良品とか、印刷ミスなどがあって、メーカーから仕入れを断られた品などが含まれます。

ただし、不良品ばかりではありません。欧米の有名メーカーから発注を受けたものの、企画が取り止めになったとか、サイズが合わずにボツになったとかいう商品も多く含まれているのです。

　妻は、膨大なストックから「子どもに着せたい服」や「これ、かわいい」「デザインがいい」と思った服を選んでいきました。

　ただし、子ども服の難しいところは、サイズが細かく違うところです。S・M・Lだけでなく、10センチ単位でサイズが違ってきます。

　ちょっとずつ選んでいると、倉庫の担当者からダメ出しがきました。

「1着1着では売れない。ロットで買ってもらわないと」

　結局、仕入れは何十着ものロットで買いました。梱包されたままでよく商品を検品できなかったこともあり、同じサイズを数十着も仕入れて全然売れなかったりしました。この時の仕入れは失敗だったと思っています。

　交渉も甘かったのです。


　しかし、この経験は、後で役に立ちました。

　私たちは事業の一環として、「アヒルス」という子ども服販売の店を営んでいます。それを行うきっかけとなったのが、この時の仕入れでした。その後も、インドから何度か商品を輸入し、アヒルスの営業に役立てていました。これがきっかけになり、イベントで販売していると、知り合いの業者などもできました。今はインドとの取引はなくなり、国内のメーカーから仕入れています。

12 週末にはパーティ！　とはいえ……。

インドへ出張するたび、いつも忙しい思いをしています。でも、もともと働くのが好きなので、苦にはなりません。インドのスタッフたちも一緒によく働いてくれます。

朝8時に起きて、9時から仕事。深夜まで仕事をして、終業は午前2時。残ってくれたインドのスタッフと、3回目のチャイ・タイムを夜10時や11時にすることだってあります。

そんな中でも、週末には夜、若いスタッフたちと「飲み会」をやります。

場所は、インドの会社のオフィス。テーブルがないので、床に車座になって、宴会です。

ビールやご飯、おつまみを買ってきて、ワイワイ楽しみます。

インドでは、お酒を飲むのは「（犯罪ではないが）ワルイコト」という感覚があります。でも、男性同士で密室だと、あまり気にしません。ビールやウォッカに、ソーダ系飲料を混ぜて飲んだりします。

ちなみに、インドの人が日本から持ち帰った文化の一つに、「ハイボール」があります。

ハイボールといっても、ウィスキーの炭酸割りではありません。ウィスキーに水やソーダ系飲料を混ぜて「ハイボール、ハイボール」と呼んで飲んでいるのです。

おつまみは、やはりカレー類。それとフィッシュフィンガー（魚のフライ）、チキン65（某コンビニで売っている小さなから揚げのレッドみたいな味）。それとチキン・マンチュリアン（「第4章　インドの食べ物」参照）が私のお気に入りです。

インドのスタッフとの飲み会。楽しい話に花が咲く

今は女性社員もいますが、インドの女性は、ほとんどお酒を飲みません。飲み会は男ばかりになるので、話は当然(?)、異性のことに。

ラガ君など、婚活中の若いスタッフもいるので、私がツッコむと、カタコトの日本語ながら、話してくれます。

「結婚するなら、どんな子がいいの?」

これこれ、そんなことを聞いたりして。するとスタッフはこう答えました。

「ドンドンクルヨウナ　コハニガテ。オトナシイ　ヒトガイイデス」

ほう。積極的な女性より、おとなしめの人がいいのか。でも、そうは言いつつ。インドでも、結婚したら女性の方が強く見えるのは、私だけでしょうか。

前にも書きましたが、インドではまだ、ほとんどが見合い結婚です。

恋愛結婚は少ないです。

ところが、さすがにＩＴ時代。若者は、ネットの婚活アプリでお相手を探します。

どうやるのか、というと、インドならではの事情がからんできます。

（1）出身地や身分が同一なのかを検索する（同じお寺の檀家ではダメで、別でないといけません）。
（2）気に入った異性を探す。
（3）良さそうな異性が見つかってマッチングしたら、親に「この人が好さそうだ」と言う。
（4）親の了解を得たら、インド占星術（ホロスコープ）の相性が合うかを確認する。
（5）すべてがマッチングしたら、メールなどで連絡を取り合う。

出身地や身分などを検索し、最後にホロスコープで調べるのが、インド風です。親の承諾が得られ、マッチングしたら、親同士が会って話をし、結婚へと進む、ということです。ホロスコープの信頼度は絶大で、いくら気に入っても、一致しなければ結婚はしないとか。

なお、スタッフに聞いた話ですが、インドでは、夫婦の初めての夜、女性は親から、「旦那さんのことをよく聞いて、静かに受け入れなさい」と言われるそうです。南インドの田舎だからかもしれませんが、女性も男性もほとんどが夜は初めて。皆、厳粛にその日を迎えるようです。

最近、インドでのレイプ事件が話題に上り、悲しい思いにとらわれます。ただ、私の印象では、南インドの状況は少し違うような気がするのです。

コラム・ハードロック・カフェのピンバッチ

インドを訪れてから、私はトランスファー（乗り継ぎ地）を含めてあちこちの国へ行く機会に恵まれました。

そこで、外国へ行くと集めているものがあります。

それは、「ハードロック・カフェ」の限定ピンバッヂです。ハードロックカフェは、ご存じの通り、店内にハードロックがガンガン流れる、ロンドン生まれのアメリカン・レストラン。有名ロック・ミュージシャンのギターなどや写真、サインが店内のあちこちに置かれ、サイズも値段もアメリカンなハンバーガーやステーキを食べられるところ。

全世界に180店舗以上あるそうです。私がロック好きなこともありますが、海外出張に行くたびに、見つけたら入り、ピンバッヂを買っては集めています。カフェだけでなく、ホテルのものもあります。

日本では東京、上野駅東京、横浜、大阪ＵＳＪ店。閉店してしまった大阪店なども持っています。海外では、シンガポール、アンコールワット、バンコク、デンバー、スーシティなどがあります。

もちろん、インドのハードロック・カフェのピンバッヂも持っています。閉店しましたがチェンナイ。黄色いギターボディに、女性が手を合わせたデザインの、いかにも「西洋から見たインド」風のデザイン。

他にもベンガルールなど、インドには7～8店舗あるようです。いつか全制覇してみたいですね。

第４章　インドの食べ物

1 インドの定食「ミールス」

インドの会社にいる間は、よくスタッフの皆と昼の食事にでかけます。

そこで食べるのが「ミールス」。南インドでは一般的な、定食のようなものです。

会社のある場所は田舎ですが、それでも食事を出す店がたくさんあります。

そこで「ミールス」を頼むと。

まず最初に、大きなバナナの葉っぱが配られます。

それがお皿です。バナナの葉の上に水をたらし、濡らしてきれいに拭き取ります。

そしてその上に、お惣菜をずらりと並べていきます。カレーは2、3種類、揚げ物やつけ合わせのピクルス。

カレー類は、「サンバル」や「プリコロンブ」、「ラッサム」などの種類が出ます。

サンバルは野菜入りの豆カレー、プリコロンブも野菜カレーでオクラなどが入ります。ラッサムはトマトのスープカレー。サンバルからラッサムへの順にサラサラになっていきます。

なお、インド料理に詳しい人によると「ラッサムなどはスープ類でカレーではない」という見方もあります。でも、専門的な料理分類は、さておきましょう。インドの人も「カレー」って呼んでいるくらいですから。

さらに、パリパリせんべいのような「アッパラム（パパド）」。その脇へ、銀色の洗面器のような入れ物から、ご飯をどっさり盛ってくれます。ご飯は何杯でもお代わり自由です。

「ミールス」。バナナの葉がお皿。基本はカレーだ

最初は、ご飯にカレーをかけて食べます。右手を使って「手で」混ぜて食べます。左手は、テーブルに肘をつきます。

左手は、トイレでお尻を拭くのに使うので、ご不浄の手だと思われているのです。

カレーばっかり、と思うでしょうが、まさにそう。味つけは基本、カレーのバリエーションです。

日本のカレーをイメージするから不思議なのでしょう。和食の「しょう油」だと思えば理解できるかも。日本だって、外国人から見れば「しょう油」ばかりです。

ご飯はパラっとした大粒で、美味しいです。いつもお代わりして、3杯くらい食べます。

カレーをひと通り食べると、締めは「カードライス」。ご飯にヨーグルトを混ぜて食べるのです。それに「モール」（タミル語でバターミルク）を混ぜ、塩を少々加えれば完成です。

このカードライス。最初は、「ご飯にヨーグルトを混ぜるなんて」

「カードライス」。ご飯にヨーグルトを混ぜて食べる

と敬遠していたのですが、食べてみると美味しい。いつも辛いカレーご飯なので、この味があっさりしていて、やみつきになります。

最後はバターミルクをグビリと飲んで、おしまい。食べ終わると、バナナの葉っぱを真ん中から手前に折ります。それが「ごちそうさま」の合図。

私はインド出張の時、最初の頃は、よくお腹の調子が変になっていました。といっても、ちょっと緩いかな、という程度です。

しかし、最近は壊していません。

インドのスタッフによると、カードライスをよく食べているおかげだ、といいます。カレーばかりで慣れない食事なので、ヨーグルトを混ぜたカードライスが、お腹を整えてくれるようなのです。

皆さんもインドに行って、カードライスを見たら食べてみてください。お腹を壊すことがなくなるかもしれませんよ。

2 インドのチャイ店（ティー・ハウス）

インドでは毎日の「チャイ・タイム」が欠かせない、と書きました。

会社では、1日2回。午前11時と午後5時から15分間がチャイ・タイムです。仕事が深夜に及ぶと、もう一度チャイ・タイムを設けます。


チャイは、店へみんなで飲みに行きます。インドにはそのためのチャイ店（ティー・ハウス）があちこちにあります。

チャイ1杯は安い値段です。昔は一番安い店で1杯5～6ルピー（9円）でしたが、今は高くなって10～15ルピー（16～24円）。それでも安いですよね。皆、毎日最低でも2、3回は飲むので、商売として成立しているのでしょう。（空港などでは外国人価格で50ルピーや100ルピーします。1杯160円なら安いかもしれないけど、内地の価格を知っていると高さにあきれます。）

チャイはご存じのように、砂糖を入れたミルクティー。そこにスパイスを混ぜるのがマサラ・チャイです。カルダモン、クローブ、ショウガ（ジンジャー）などを入れます。スパイシーな風味が、甘さをキリッと引き締めてくれます。

実は、南インドの私の周りでは、あまり「チャイ」とは言いません。みんな「ティー」と言い、お店の看板にも「Ｔｅａ」と書いてあります。

作り方は、まず鍋に水とつぶしたスパイスを入れ、中火で沸騰させます。沸騰してしばらくし、スパ

チャイの店。手慣れた仕草で熱いチャイを入れてくれる

イスが十分湯の中に溶けてきたら、茶葉を入れて煮出します。

　煮出したらミルクをたっぷり入れ、再び沸騰させます。沸騰させたら、大さじ2杯くらいの砂糖を入れて溶かします。十分溶けたら、漉し器に流し込んで茶葉を漉します。

　漉したら、もう一つカップを用意し、熱いチャイを交互に繰り返し注ぎ込みます。こうすることで、チャイの中で砂糖がまんべんなく溶け、さらに適度に空気が混ざり、まろやかな味わいになるということです。

　この作業を見ているのも、楽しいものです。

　私がよく行く店は、チャイだけを置いているわけではありません。

　カウンターに、ガラスケースがあって、お菓子がずらり。色とりどりのクッキーやショートケーキ、そして、日本のかっぱえびせんに似た、おかきもどっさり並べられています。

　スイーツは、どれもちょっとパサパサしています。甘さは、やや控えめ。

　チャイ店は、会社のすぐそばにあります。徒歩圏内に4

チャイの店には、一緒に食べるお菓子もいっぱい並んでいる

店舗ほどあります。会社のスタッフみんなで出かけて、チャイを飲みながらワイワイ。

いつも同じチャイ店に行くので、すっかり店の人やお客さんと顔なじみになりました。

タミル語は分からないのですが、身ぶり手ぶりでなんとか会話が成立してしまいます。コミュニケーションとは、つくづく不思議だと思います。

昔は、上流階級の人間がチャイ店を訪れたら、ココナッツをくり抜いた器に入れて出したそうです。その器が現れると、高貴な人が来ているな、と気づかれたそうです。

そんな歴史もあるチャイ店。インドのスタッフは、楽しいチャイ・タイムを済ませると、そそくさと仕事に戻って、真面目に仕事をしています。

インドの人はとても勤勉な国民。働く時は働いて、チャイ・タイムにはしっかり休む。こういった使い分けは私たちも見習うべきところでしょう。

コラム・インドのマクドナルドとケンタッキー

日本でテレビを観ていると、マクドナルドのビッグマックで国際的な物価の比較をしていたりします。しかし、あの比較にはちょっと気をつけなければなりません。というのは、インドの定食「ミールス」は2023年現在で1食100ルピー程度。日本円で160円くらいだからです。10年前は40ルピー、60円ちょいでした。

インドのビッグマックは160ルピー程度。250円くらいですが、インドの人にとっては、マクドナルドやケンタッキーはけっこうな高級料理扱いです。この感覚の差には注意しましょう。

インドにも、都会にはマクドナルドやケンタッキー・フライドチキンがあります。

マクドナルドもケンタッキーもそうですが、ベジ（肉を食べない菜食主義の人向け）かノンベジ（肉食が大丈夫な人向け）が分けられています。

インドのビッグマックは、「マハラジャ・マック」と呼ばれています。牛肉が食べられない人が多いお国柄だけあって、マックのパティはチキン、もしくはベジタリアン。ジャガイモの入ったコロッケのバーガーもあり、けっこう美味しいです。

また、フライドポテトはスパイスがたっぷりかかって辛いのが特徴。さすがインドです。

ケンタッキーの方はというと、こちらもベジかノンベジに分かれています（インドのお店はだいたいそうです）。

鶏肉がOKの人が多いインドでは、マックに比べるとメニューはフランドチキンがあったりして割と普通。ただし、ベジメニューには、チキンの代わりに野菜が入ったフライなどもあります。

どちらのお店も人気です。でも、やはり高級なイメージがあるので、気軽には行けないかも。

3 インドの食べ物（1）

日本には、インド料理店が数多くあります。しかし、カレーとナンとタンドリーチキンにパパド、といった感じで、出てくるものはだいたい決まっています。北インド風の料理店が多いですが、南インドは別。（ちなみに日本のインド料理店は、実はネパール人やパキスタン人が経営していることが多いのだそうです。）

それでは、南インドで出会った、独特の軽い料理をご紹介しましょう。

1 ベジフライドライス（Vegetable fried rice）

名前の通り、野菜のフライドライス、つまりチャーハンです。米にコーンなどの野菜を加え、ニンニクなどで味つけしてたっぷりの油で炒めたもの。塩味がきいて、とても美味しいです。

インドでは、料理は肉系（ノンベジ）と野菜系（ベジ）に分かれており、はっきりその別が書かれています。インドでは、牛肉はもちろん、肉は食べないベジタリアンも多くいます。同じベジタリアンでも、卵などはOKという人と、ジャイナ教徒のように一切の殺生を禁じている人々もいます。ジャイナ教徒

ベジフライドライス

は、肉・魚はもちろん、ジャガイモなどの根菜類もダメ。豆と葉野菜・茎野菜しか食べません。なぜ根菜類がダメかというと、土から野菜を引き抜く時、土中の虫や微生物を殺してしまうからだそうです。

なお、ベジフライドライスのある店では、たいがいフライドヌードルも食べることができます。要するに、焼きそば。日本のようにソース味ではなく、塩・コショウ味で、さっぱりとして美味しいです。

プーリー

2 プーリー（Puri）

いわば、インドの「揚げパン」です。北インドのプーリーは、小麦粉を丸く平たく練って、油で揚げて作るそうです。

しかし、私がベンガルールで食べたものは、お米の粉で作られていました。南インドでは、お米を使って作るのが主流です。

丸くて、モコモコとしています。プーリー自体は、味はあまりありませんが、私はとても好きです。

というのは、つけ合わせに黄色いカレーが出てきて、これが美味しいのです。ジャガイモが入っていて、あまり辛くなく、イモの甘みでほっこりいい味がします。

3　パロッタ（Parrota）

小麦粉をこねて、円盤型に巻いて、たっぷりの油で焼き上げる南インドのパンです。

デニッシュにちょっと似ている、といえばいいでしょうか。食べやすいサイズにちぎって、カレーをつけて食べます。ナンとはまた別もののパンなのです。

会社のあるヴェルールには、パロッタ専門店もあるほど。南インドでは、なじみの食べ物なんですね。

食感はワッフルみたい。砂糖（タミル語でサッカレーと言います）をかけても美味しくいただけます。

ただし、砂糖をかけているのは私だけだったようで、インドのスタッフには変な目で見られました。

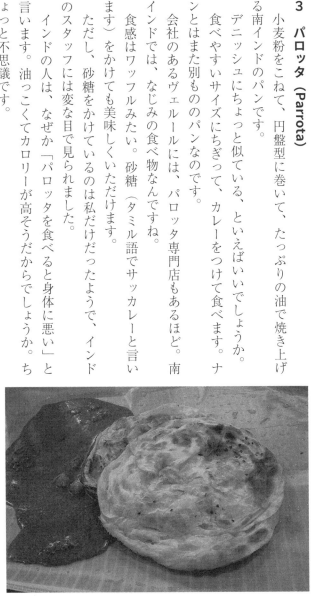

インドの人は、なぜか「パロッタを食べると身体に悪い」と言います。油っこくてカロリーが高そうだからでしょうか。ちょっと不思議です。

パロッタ

4　アッパラム（パパド）（Appalam = Papad）

パリパリのおせんべいです。日本のインド料理店でもパパドとして、ご飯に乗せてよく出てきますよね。パパドはウラド豆で作りますが、アッパラムは米の粉を混ぜ、油でカラッと揚げて食べます。軽い

メドゥ・ヴァダイ

アッパラム（パパド）

塩味がついています。

インドだけでなく、南アジア全体で作られるようです。

5　メドゥ・ヴァダイ（Medu Vadai）

私がよく行くチャイ店に、いつも置いてある揚げ菓子です。インド版の柔らかいドーナツ。「メドゥ」はタミル語で柔らかいという意味です。じゃあ、「ヴァダイ（ヴァダ）」はドーナツかと思いきや、フリッター（洋風天ぷら）の意味だそうです。

日本で見かけるドーナツより小さく、柔らかいです。野菜が入っていて少しカレー風味で、塩気があります。粉はお米とレンズ豆を混ぜて作ります。

南インドでは、結婚式やお祭りでよく出される他、スナックとしてもよく食べられます。

6　ポップス（パイ）（Pops）

会社の近くのチャイ店では、パイも売っています。インドでは「ポップス」といいます。

ほんのりしたカレー味。マッシュルームが入っているものと、卵が入っているものの2種類があります。

食べごたえがあって、チャイによく合います。私もよく食べています。

7　ムリ（パフド・ライス）（Muri）

インドのポン菓子です。鍋に塩を入れ、熱したところで米を入れ、弾けさせます。甘いような、辛いような独特の味つけがしてあります。インドのスナックというか、食後のスイーツとしてレジの横にも置いてあります。

ポップス（パイ）

ムリ（パフド・ライス）

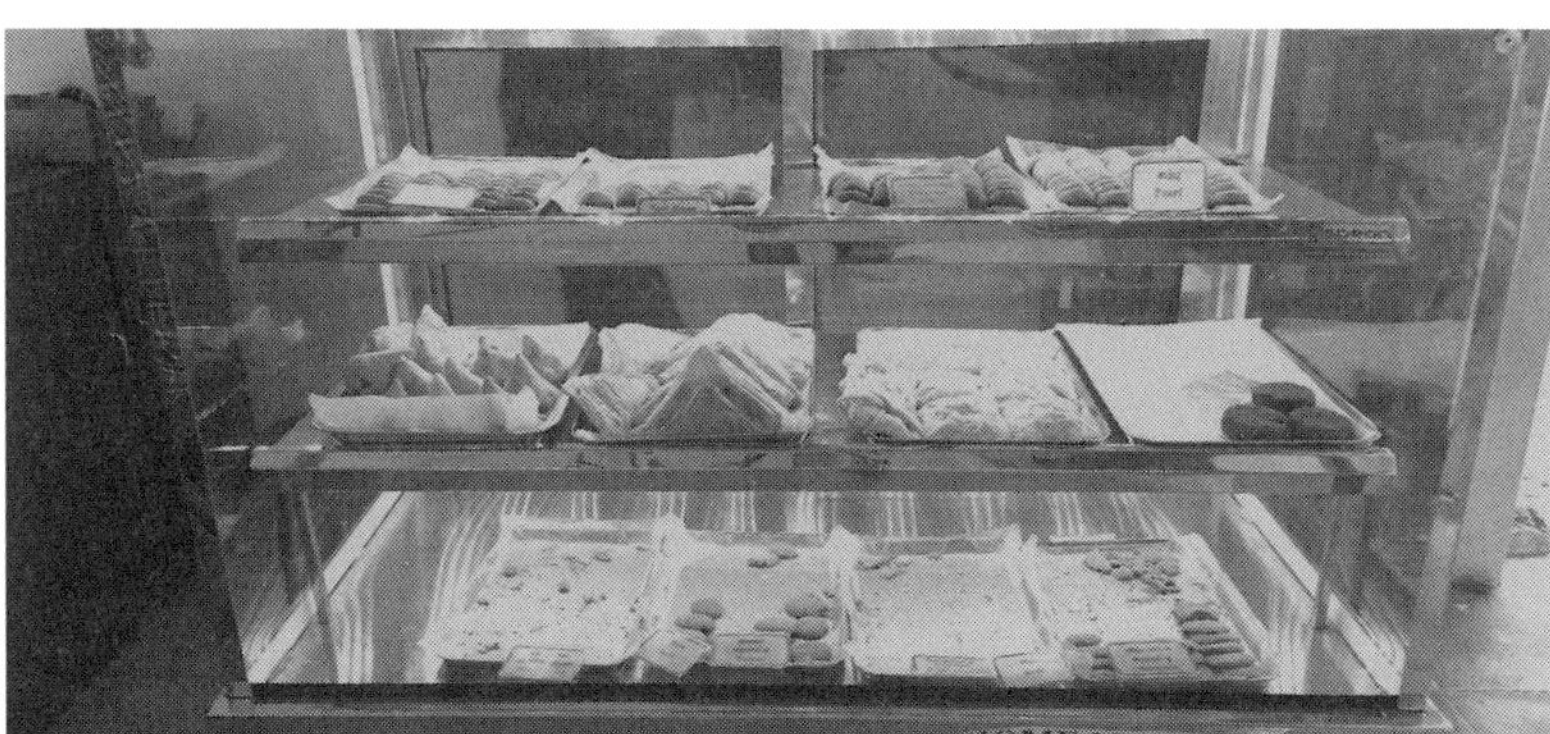

いろいろな軽食

4 インドの食べ物（2）

8　バジ（Bajji）

インド風の野菜天ぷら。普通は玉ねぎで作るそうですが、バナナ、唐がらしなどいろいろな野菜も揚げます。かなり辛いです。味の良しあしは店によりますが、まあ美味しいです。

インドの店では、揚げた油を取るため、新聞紙に乗せて出されます。私は、玉ねぎのバジが好きですが、唐がらしのもなかなかいけます。

9　チキン・マンジュール（チキン・マンチュリアン）（Chicken manchurian）

鶏肉のから揚げに、ニンニクや玉ねぎなどいくつかの香辛料を入れて炒め、ピリ辛風に仕上げた料理です。これが美味しい。ビールのアテ（肴）にいいです。元は、中華料理の鶏肉のピリ辛炒めだそうです。それがインドに入って、地元の人の口に合うように工夫されたものだとか。

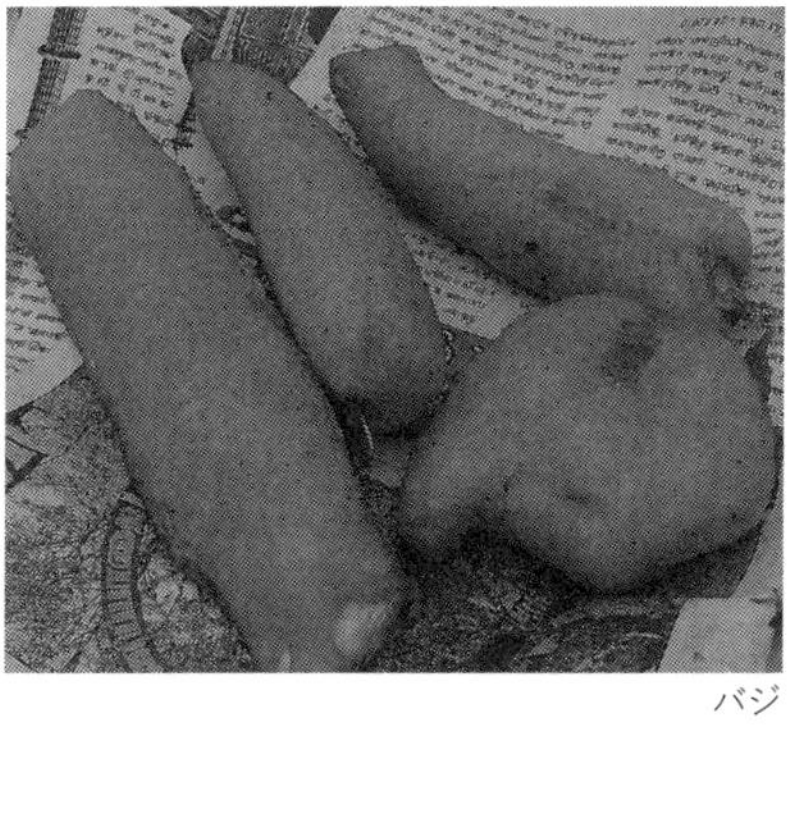
バジ

日本ではあまり見かけないので、日本のインド料理店でも出してくれないかと思います。きっとやみつきになるでしょう。

10　ピクルス（Pickles）

インドの定食「ミール」に2、3種類ついてきます。日本の「香の物」ですね。私がよく食べるインドのピクルスは、赤くてとにかく酸っぱ辛い。カレーのつけ合わせに最適です。

11　ミルク（Milk）

飲み物はペットボトルやビニールの袋に入れて売られています。

缶ジュースなどはあまり見かけません。ただし、ビンに入ったジュースは多く売られています。最近はペットボトルも多いです。

ミルクもだいたい袋に入れて、売られています。

飲む時はもちろん端っこを切りますので、使いきらないと大変です。

ミルクの味は、とても濃厚でほんのり甘く、美味しいです。ただ、熱で殺菌消毒していないので、そのままでは飲めません。温めて飲みます。

これがもうやみつきで、毎日のように飲んでいました。

ピクルス

中華料理のインド化の代表、チキン・マンジュール

ただし、インドの人からすると、砂糖を入れないミルクなんて飲めないとか。（パロッタを食べる時に砂糖をかけていると、変な目で見ていたのに…。）

いろいろ、国によって飲み方ってあるものなんですね。

12　バターミルク（Buttermilk）

日本ではあまりなじみがありませんが、ヨーグルトを作る時の牛乳の上澄み液を漉したものです。

少し酸っぱくて、カレーを食べた後に飲むと、さっぱりして気分がよくなります。

もともとバターミルクは、バターを作った後に残る液体だからこういう名前なのだそうです。牛乳の中に残った乳酸菌のおかげで、酸味が生まれるとか。

消化によくて、胃を保護するのにもいいそうですよ。

袋入りのミルク

13　サトウキビのジュース（Sugar cane Juice）

ヒンドゥー教のお寺の境内で見かけたのですが、「竹のようなもの」をローラーが二つついた圧搾機で、ギューッと絞っていました。

竹のようなものはサトウキビ。それにレモンとショウガを挟み、圧搾機で絞って、茶色っぽいジュー

サトウキビのジュース。ショウガなどを挟んでローラーで搾る

完成したサトウキビのジュース

スを作ります。

このジュースに氷を入れて飲みます。気温40度、炎天下の春のインドでは、さっぱりして非常に美味しい。喉をうるおしてくれます。

インドはブラジルに次いで世界2位の砂糖生産国。中でも会社のあるタミルナドゥ州は、サトウキビの名産地で、インド国内3位の生産量です。砂糖の作り方は、このジュースと同じような圧搾機のローラーで絞り、大鍋で長時間煮て、「グル」と呼ばれる粗糖を作ったりもします。だからサトウキビのジュースも皆のなじみなんでしょうか。

5 インドの食べ物（3）

14 ピーナッツ売り（Peanuts）

インドの田舎のピーナッツ売りのおじさんは、日本で昔よく見かけたような風情。

チリンチリーンと鈴を鳴らして、車輪のついたワゴンに山盛りのピーナッツを積んでやってきます。

ワゴンには、色とりどりの新聞紙がくるくるっと丸めて差してあります。それに、ピーナッツを入れて売ってくれるのです。

ピーナッツは程よい塩加減。カリコリ食べられます。一つ10ルピー（16円）です。ピーナッツもタミルナドゥ州の名産の一つです。

15 ジャックフルーツ（Jackfruit）

会社の近所の果物屋で見かけたフルーツです。驚くのは、なんといってもその巨大さ。

タワシのような硬い皮で覆われ、大きさは子どもの胴体く

街で見かけたピーナッツ売り

らい。

非常に臭くて、苦手な人もいるでしょう。でも、ドリアンよりはちょっとマシでしょうか。

これを輪切りにして食べます。実は熟すと黄色。中には大きな種が入っています。臭いと同じく、ややクセのある甘みがします。1個のジャックフルーツから、何十人分も中身がとれるそうです。1人分は、バナナの葉にくるまれたひと山で10ルピー（16円）くらい。

「日本で買うと1缶（400グラム）で千円くらいするから、この1個だと何万円もするよ」

とインドのスタッフに話すと、驚いていました。

ジャックフルーツの中身

16　ココナッツ（Coconuts）

ココナッツもよく食べられます。割って中身の白いジュース「ココナッツミルク」を飲みます。とても甘いですが、私個人としては、あまり美味しいと思ったことはありません。

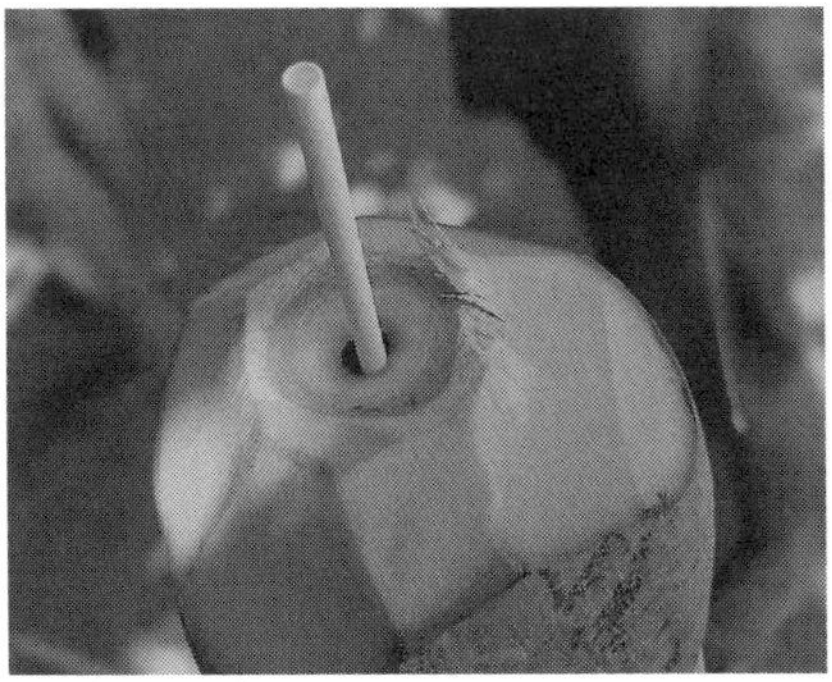
ココナッツのジュース

巨大なジャックフルーツの実

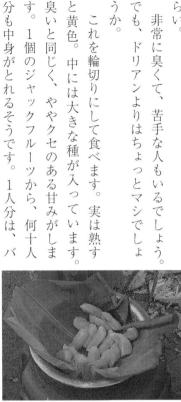

それより美味しいのは、ココナッツの実の内側についている、ぷるんとした果肉です。固形で、ココナッツミルクより甘さは抑えめ。なかなかいけます。わが社のあるヴェルールにはココナッツ畑も多くあります。パートナーのセンティルの家の農地でも栽培されています。

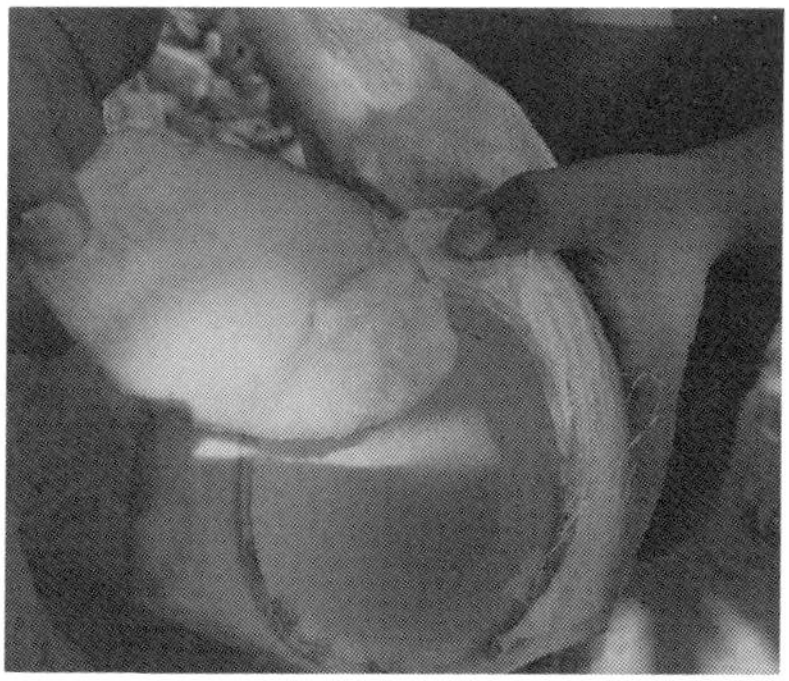

ココナッツの中身。中身が美味しい

17　マンゴー（Mango）

日本でもおなじみの南洋の果物、マンゴー。6月ごろが収穫の時期だということで、果物屋の店先に、ピラミッドのように山積みで売られています。

深い甘みでとっても美味しい。

しかし、インドの人のマンゴーの食べ方は豪快そのもの。皮ごとそのまま、バリバリッと食べていくのです。

よく行く果物屋さんに積まれたマンゴー

これにはびっくり。しかも唐がらしをかけて食べます。インドのスタッフは「これが普通ですよ」と、平気な顔をしていました。

そもそも、会社のあるヴェルールは田舎なので、みんな自分の家の庭にマンゴーが生えています。熟すると、「食べますか?」と言って、持ってきてくれます。日本では1個1万円以上するマンゴーが話題ですが、その画像を見せると驚いていました。

18　バナナ（Banana）

インドにいる間、バナナをよく食べました。なにせ、インドの定食「ミール」のお皿はバナナの葉っぱ。それくらい南インドでは、バナナが日常的なのです。

ただし、日本とは種類が違います。南インドでよく見かけるのは、モラードバナナ。サツマイモのように赤黒く、形もずんぐりしています。皮をむくと、見慣れた薄い黄色の果肉が現れます。日本のものよりちょっとねっとりして、濃い味でしょうか。

他に、モンキーバナナもよく見かけます。日本で売られているバナナの半分ほどの小さな品種で、1本が手に乗るほどです。味は、日本で食べるバナナとほとんど同じ。息子のアキラがインドに来た時、食べさせていました。

インドの食べ物には、他にもビリヤーニや、チキン65、タイガーチキンなどがあります。またいつの機会か紹介したいものです。

モラードバナナ

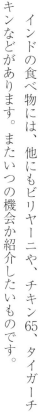

6 インドでお酒を飲むのは「ワルイコト」

知っている人は知っていると思いますが、インドでは飲酒の習慣があまりありません。

というよりインドでは、お酒を飲むのとタバコを吸うことは「悪いこと」だというイメージがあります。

インドでお酒を飲む人は、基本的に「ワルイヒト」なのです。

というか、街じゅうに居酒屋があふれていて、日常的にお酒がじゃんじゃん飲めるという風景は、日本以外では少ないのかもしれませんね。

宗教的な問題だと思いがちですが、不思議なことにインドの主要な宗教であるヒンドゥー教は、飲酒を禁止していません。

宗教ではなく、モラルとして「飲酒は悪いことだ」というイメージが広くあるのです。法律で飲酒を禁止している州もあちこちにあります。

先進的な都会では、最近はそうではないという話も聞きます。ただし、わがシンプラン・ソフトウェア・インディア社のあるヴェルールのような田舎町では、まだそういった感情が色濃く残っています。

南インドでは、女性はほぼお酒を飲みません。男性も、女性の前ではお酒を飲みません。

さらに、普通のレストランにはお酒はまず置いていないと思っていいでしょう。大きなホテルなら置いてあるかもしれません。でも基本は、お酒はノーです。

ただし、インドの人も日本人や欧米人がお酒好きだということは、知っています。

では、どうするかというと。外にある酒屋さんに行って買い、レストランなどに持ち込んで飲むのです。

酒屋さんは、鉄格子で囲われています。インドだけではなく、海外ではけっこう見かける風景です。酔って暴れる人などを避けるためでしょうか。

外から、お酒が並んでいる棚を見渡し、中にいる店員さんにこれとこれが欲しい、などのように注文します。

鉄格子には、中央に引き渡し用の窓とカウンターが設けてあります。

お金を払うと、お酒を取って渡してくれます。それを受け取り、こっそり持って帰ります。

南インドの酒場。こういう見えない場所で隠れて飲む

数少ないですが、酒場へ行ってお酒を飲んだこともあります。とあるビルの地下の奥へ奥へと入り、なんだか真っ暗な場所へ連れて行かれました。そこで、テーブルに座って、ビールとウィスキーを飲みました。不思議な気分でした。

ビールは「キングフィッシャー」という、インドでは有名な銘柄。冷えてはおらず、なまあたたかな常温。しかも度数がやたら高くて、コップ1杯飲んだらもう酔っ払いました。度数5度程度の軽い種類もあるようですが、常温だったせいか、やたらきつく感じました。

あとは、やはり国産（インド産）のウィスキーも飲みました。こちらも、さほど美味しくなかった記憶があります。

近年では、ビールも冷やして出してくれるところが増えているようです。時代が変わってきているなあと感じます。また、最近はインド産のワインをよく見かけ、飲むようになりました。インド産ワインは日本でも注目を浴びているようです。中部のマハラシュトラ州を中心に生産が行われています。

そういえば、日本から梅酒を持って行ったら、インドのスタッフに喜ばれました。甘いお酒は大好きなようです。日本酒も持って行きました。金粉入りの純米酒です。インドの人は「ゴールド」が大好き。「ライスワインだ」と、15分もたたないうちに一升瓶が空きました。

他に、ココナッツミルクのお酒「Ｋａｌｌｕ（カルー）」も飲みました。この時は、男性だけの宴会だったので、インドの人もハメを外していたようです。男性だけで密室内だったら、飲むのは比較的ＯＫ。

ただしインドの人たちは、「俺たちはワルイコトをしている」と思っていたに違いありません。

お誕生日会では、炭酸飲料にウィスキーを混ぜて飲んだり

コラム・南インドでのお呼ばれ（食事）の作法

どこの国でも地方でも、食事をする時には、決まった作法があるものです。南インドも例外ではありません。幸いなことに、うちの会社のスタッフは、私を自分の家によく呼んでくれます。その時には、だいたい決まった作法があります。

まず、お呼ばれに行ってテーブルの前に座ると、水が出てきます。これをまず飲みます。日本のお茶のようなものでしょうか。水と一緒にお菓子などが出されます。それを食べて談笑していると、食事が用意されます。お客さんと家族全員が一緒に食事することはありません。（食事をする部屋が狭いこともありますが）、まずお客さんと男性が食事をして、その後で家族（女性）が食事をします。

食事では、「ミール」の項で紹介したように、まずバナナの葉っぱを切ったものがそれぞれの前に敷かれます。この葉っぱがお皿です。大きさは、給食のトレイくらい。それを水をたらして拭きます。

続いて、食事がその上に盛られていきます。

2、3種類のピクルス。数種類のカレー。こんもり盛ったご飯。南インドのお米は、日本のものより細長くて、パラッとしています。

おかずとして、鶏肉を焼いたものや魚のフライなども出ます。

ひと揃い、料理が並べられると、いよいよ食事のスタート。

インドでは、食事をする時に右の素手を使って食べます。インドでは左はご不浄の手。トイレへ行って拭く時、左手を使うからです。

どうやって食べるかというと、テーブルに左の肘をつき、カレーとご飯を右手の指先で混ぜ、口に運びます。指は5本全部を使います。親指を除く4本の指先で、米とカレーを混ぜてその上に乗せ、口に運びます。

食べる時は、親指で押し出すようにして口に入れます。簡単そうに見えますが、やってみると最初は5本の指をなかなか使えません。日本人だと、たいがい親指と人差し指と中指、3本でつまもうとするのです。

慣れるまでにちょっとかかりますし、手で食べるなんて、と思われる方もいるでしょう。でも、鶏肉や魚などは、手で食べた方が、骨がどこにあるか分かって便利だったりします。慣れると平気です。

では、左手はまったく使わないかというと、そうでもありません。左手は、大皿に盛られた肉や魚などを取り分ける時に、器を持ったり、スプーンを持ったりして使います。直接、左手では食べ物を触らない場合が多いです。

インドでも、都会では最近、スプーンを使って食べる人が増えているとか。スマートフォンの画面が汚れるからだそうです。とっても現代的な理由ですよね。

第5章　インドの人々の暮らしぶり

1 インドの小学校へ一日入学!?

２０１１年８月の２回目のインド出張では、夏休みだったこともあり、妻のユウコと小学１年生だった息子のアキラを連れて行きました。２人は10日間ほどインドにいて、先に帰っていきましたが、滞在中に、ちょっとしたイベントがありました。

息子が１日だけ、インドの学校に特別参加したのです。

そんなことができるのかって？　インドはコネがものをいう世界。スタッフのカルティクのとりなしで、さらっと１日参加が叶ったようです。

学校の名は、「Sun Star Matriculation Higher Secondary School」。会社から車で10分ほどの場所でした。

８月は日本では真夏ですが、国土の大きいインドでは気候もさまざま。南インドのタミルナドゥ州では、一番暑い時期が４月から６月。その時期が休みになります。

８月には学校が普通に開いているのです。

そこで、カルティクを通訳に、妻と息子はいそいそと出かけていきました。

インドの学校は、日本とかなり様子が違います。

３歳半の幼稚園児から17歳半の高校生までが、同じ学校に通うのです。

ただし、クラスは学年ごとに分かれています。インドの就学年数は、州によって異なりますが、タミ

インドの授業風景

ルナドゥ州では小学校が5年間、中学校も5年間。高校にあたる上級中等学校が2年間だそうです。（中学の5年間を中学校3年、中等学校2年に分ける州もあります。）

学校の生徒数は、十数年前の当時は３００人くらい。現在は７００人を超えているようです。人口増加が激しいインドならではの増えっぷりです。始業は6月から。

授業をするのは、サリーを着た女の先生。この地方の話し言葉はタミル語ですが、授業は、すべて英語で行われます。

1クラスは30人ほど。教室の前に黒板があって、学習内容をチョークで書くのは日本と同じ。でも、生徒の机はありません。椅子だけです。ノートと鉛筆は、妻のものを持参しました。

一日だけですが、教室では、先生が息子に自己紹介をさせてくれました。「ＡＫＩＲＡ」と、黒板に名前を書いてくれます。

授業の様子も、日本とはかなり違います。授業の間の休み時間はなく、10～20分単位で、教科が代わっていくのです。最初は英語で、次は国語（タミル語）というように。

最初はとまどったようですが、子どもはすぐ慣れました。集中力の切れやすい子どもには、ちょうどいいのかもしれません。

英語の授業では、「キャット！」と先生が言うと、皆で「にゃあにゃあ」と猫の鳴きまねをする、というように楽しく進んで行きます。また、黒板に動物の絵を描いて、ここが「ｅａｒ」だとか「ｌｅｇ」だとか示したりします。

少し困ったのは、英語の授業で先生が文字を筆記体で書いていたことです。息子は、英会話教室に通わせていました。しかし、今の日本の英語の授業は、すべてブロック体で書かれています。子どもたちは、筆記体を見たこともないでしょう。

「読めないよ」と困っている息子に、先生が気を利かせて、ブロック体で書いてくれました。

息子は生き生きとして、すぐ自分の名前をタミル語で書けるようになりました。子どもの適応力は、たいしたものだと思います。

授業が終わった後は、別室に呼ばれ、給食を食べました。一般の生徒は弁当を持ってくるようですが、特別です。バナナの葉っぱのお皿にご飯とナンを乗せ、その上にカレーをかけて食べます。

この日は、最後にカルティクが、「これを噛め」と手のひらくらいの葉っぱをくれたそうです。なんだか分からない粉を包んで食べます。妻の話によると、ミントのような何ともいえない味がしたとのこと。インド名物の嗜好品で「パーン」というものらしいです。

2 インドで感じる「古き良き日本」

インドの人々の生活を見ていると、戦後すぐの、昔の古き良き日本を想像することがあります。

インドの人々には、ありきたりな言葉ですが、すごく親切で人なつっこい面があります。

インドの会社のスタッフの家に「お呼ばれ」に誘われると、近所のおっちゃんやおばちゃんたちが、

「これが日本人か」

と、わらわらと集まってくるのです。そして、珍しそうに話をしていきます。デリーのような大都会ではまた違うのかもしれませんが。南インドの田舎町では、日本人は珍しいのです。

昔の日本人が、夏の夕涼みに縁台に集まって来るような雰囲気です。

そんなので、わいわいやっているわけですから、人と人の繋がりが濃いなあと思います。

日差しは強いんですが、湿度が低く、カラッとしているのもいいところです。ジメジメ感がないんですね。

スタッフの家を訪れ、お菓子などを食べて談笑した後に、食事をいただきます。

この時、ちょっと注意しておく必要があります。

食事はもちろんカレーで、美味しいです。バナナの葉っぱの上に炊いた米とカレーが乗っているのですが、食べ終わると、ぽいっと追加を入れてくれる。

それを食べ終わると、また、ぽいっ。次から次にお代わりを出してくれるんです。

いわば「わんこそば」状態。食べ終わってお代わりが要らない時は、皿にしているバナナの葉を半分

お呼ばれではないが、子どものお祝いに呼ばれた時の様子

折らなければいけません。そうしないと際限なく入れてくるとのこと。

皆、サービス精神満点です。そんなところも、懐かしい日本を感じる点でしょうか。

その一方で、車で街へ出ると、驚くことがあります。それは貧富の差です。高級で美しい住宅があると思えば、その隣には、藁ぶき屋根の粗末な小屋が並んでいる。その差に、一言では表せないような感情に襲われます。

また、牛が高速道路の真ん中を平気で歩いているのもよく見かけます。牛が神のお使いとして崇められているのは、よく知られている通り。

車で走っていて、高速道路が渋滞していると思ったら、牛が寝そべっていて、どいてくれるのを待っている。そういうことが本当に体験できます。

寝ていても動かすどころか、信仰深い人なら、クラクションさえ鳴らすのをためらいます。

そういう土地なのです。

道路を悠々と歩く牛たち。インドでは日常的に見られる光景

クラクションといえば、インドの人はクラクションをよく鳴らします。他人に警告するだけではなく、車線変更をするとか、道を避けてくれたお礼だとか。

日本では、クラクションは必要最低限しか使えません。ちょっと鳴らしただけでも相手とトラブルになったりします。でも、インドでは挨拶代わりです。

もう一つ。インド国民の8割を占めるヒンドゥー教徒は、牛肉を食べません。ただ、まったく食べないというわけではなく、イスラム教徒などは食べます。前にも、出向いた店で牛肉が出たことがあります。

（たいがいは鶏肉かヤギの肉です。ヤギの肉はお祝いの時などに食べる、ごちそうです。）

ただし、ミルクは売っています。

息子をインドに連れて行った時は、まだ幼く、料理が辛すぎて食べられるものがなかなかありませんでした。それで、コーンフレークを買ってきて、ミルクをかけて食べさせようと思ったのです。

社員のカルティクに頼んだら、さっそく会社の向かいの店でミルクを買ってきてくれました。

冷蔵庫で冷やしておいて、朝、息子に出したら、美味しそうに食べてくれます。

これで大丈夫かな、と思っていたら。カルティクが翌日尋ねてきました。

「あの、ミルクを飲ませたのか」

息子はコーンフレークにかけて美味しそうに食べていた、と答えました。カルティクは驚いて、

「煮沸消毒はしたのか」

と聞きます。

カルティクは、窓の外を指さしました。向かいに牛乳の店があり、隣の原っぱの木陰に、痩せぎすの牛が遊んでいます。

「あのミルクは、あそこにいる乳牛から搾ったものだ。生のままで、煮沸して殺菌消毒をしていない。そのまま飲むと危険だぞ」

驚きました。まさか、目の前の老いぼれ牛から採っていたなんて。ナマなので、細菌が多く含まれており、そのままで飲ませるのはよくありません。

急いでコンロに火をかけ、煮沸してそのまま息子に食べさせました。

しかし、息子は不機嫌な顔。

「熱いコーンフレークなんて、コーンフレークじゃない」

やっと、子どもに食べさせるものができたと思ったのに。私は、頭を抱えました。

3 インドで飲む「水」

インドで「生水を飲む」というと、ショックを受ける人がいるかもしれません。

旅行ガイドでも、そもそもインドどころか「海外へ行ったら生水は飲まないように」と、よく注意書きがあります。

インドの生水！　大丈夫か？　と思われるかもしれません。たぶん、初めてインドを訪れた日本人なら、安全を考えて飲まないでしょう。

でも私は、最初から「そんなの、気にしていてもしょうがない」と思っていました。蛇口から出てくる水で顔を洗ったり、歯磨きをしたりしていました。確かに少しお腹の調子が変な時もありましたが、慣れれば平気なものです。

それに、インドに「お呼ばれ」に行くと、必ず水が出てきます。

水は500ミリリットルくらいのボトルの時もあるし、カップに入っていることもあります。

それを飲むと、次に「チャイがいいか、コーヒーがいいか？」と聞かれ、チャイかコーヒーと、お菓子が出されます。

インドの家では、水をまず飲むのがマナーなのです。500ミリは大量だ、と思うかもしれませんが、全部飲む必要はありません。

私はボトルのキャップを開け、他の人がしているように、口をつけずに飲みます。

インドの人の水の飲み方はなかなか豪快です。食事へ行くと、よくポットから水を回し飲みします。回し飲みといっても、注ぎ口には唇を触れません。ポットを浮かせて、水を流し込むのです。実に器用です。中には数十センチも離して飲む人も。

これもインドの面白い習慣ですね。

インドには浄水器もあります。でも水が本当にきれいになるかというと、ちょっと疑問です。置かれている場所によっては、フィルターが汚れていて生水よりよっぽど危険じゃないかと思う時もあります。

また、インドの会社にはウォーターサーバーも設置されています。停電が多いので、電気式ではありません。手押しのポンプが上に付いていて、押して水を汲む方式です。

そんなこんなで、私は初めてインドを訪れた時から、少々お腹がゆるくなったものの、水を飲んで無事に暮らしてきました。

ただし、2回目に行ったインドでは、ひどくお腹を壊しました。

たぶん、水というより食べ物が合わなかったのだと思います。1ヶ月も滞在していたので、カレーの味に飽きてしまい、食べるものがなくなりました。しょうがないので、バナナばかり食べていました。赤くて太いモラードバナナや、小さなモンキーバナナなど、いろいろな種類を食べました。

ただ、その時以来、抗生物質は必ず持って行くようになりました。その後は、あまりお腹を壊したことはありません。

4 インドの小鳥占い

私は、出雲大社の神職の資格を持っています。2018年に取得しました。

なぜ取得したかと問われると「いろいろ考えるところがあって」と答えるしかありません。以前は信心深くなかったのですが、興味は持っていました。会社がどん底の時代に、興味がめばえたのです。

もちろん、神職といっても社員に信仰を強制することはありません。私自身も神社だけでなく、お寺も行くし、キリスト教の教会もヒンドゥー教の寺院にも行ってみます。

ところで、私にはちょっとした願いがありました。インドを二度目に訪れた2011年は会社の売上が低迷していた時期です。私は、年間の売上が1億円を超えるよう、願をかけたのです。

それは数年後に叶うことになりました。

そこで、タイで願いを叶えてくれるので有名なエラワン廟と、インドの会社の近くにあるヒンドゥー教寺院で、お礼のお参りをしました。

ヒンドゥー教のお礼のお参りは、鶏やヤギの首を切り落として、生贄に捧げるというもの。

日本ではなかなか見られないものです。

この時は、スタッフの他、合わせて30人ほどインドの知り合いを招きました。

生贄を捧げて、寺院のお坊さんにお祈りを捧げてもらいます。その後、刀で首を落とすのですが、不思議に感じることがありました。

ヤギを寺に連れて行くと、最初は嫌がって暴れて騒ぎます。自分の運命を感じるのでしょうか。

しかしお寺に着き、お坊さんが壺から水をすくって、頭から振りかけてやると、次第におとなしくなるのです。これが不思議でした。最後は、恍惚に近いような表情を浮かべるのです。

そこで、頭を落とします。生命を奪うことに、私たちも神聖な気分になりました。

生贄のヤギは、その場でさばいて、煮てカレーにします。そして寺院の境内で皆で座って、食べてしまうのです。

その時、もう一つ不思議なことが起こりました。皆でワイワイ言いながら食べていたら、私の皿の上に、天から何かが降ってきたのです。

それも3つ。ぽとっ、ぽとっ、ぽとっと降ってきました。もぞもぞと動いています。

よく見るとネズミの子どもでした。

不思議なこともあるものです。私は天を見上げました。

後で考えると、樹の上に巣を作っていたネズミの子が落ちたのでしょう。しかし、お祝いの席なので、私には天からの贈り物に思えました。だって、ネズミといえば、地面や地下を走っているもの。あまり天から、というイメージがないじゃないですか。

それに「3」匹です。私は昔から3という数字に縁があり、3が好きです。

会社の創業日は6月3日ですし、会社の名前は、信念である「True Trust Technologies（信頼ある

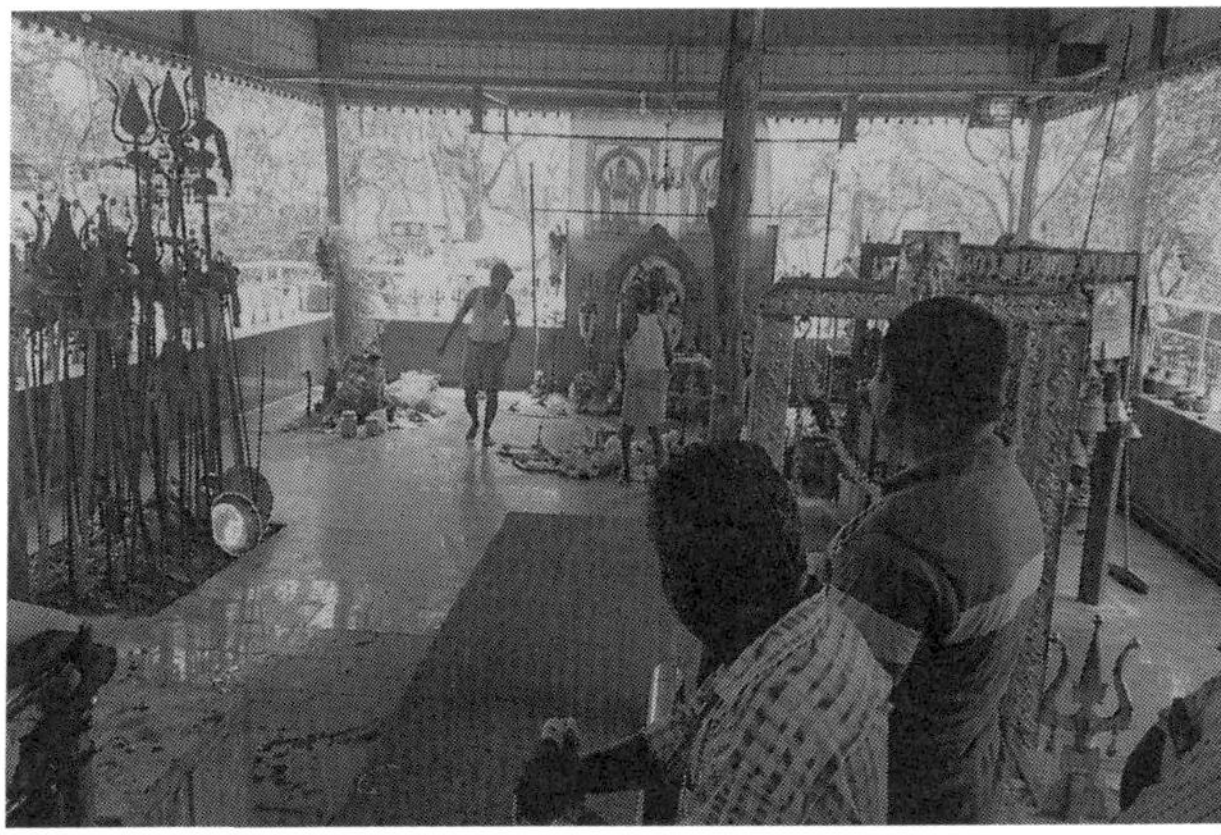

ヒンドゥー教寺院の中

本物の技術)」から、3つのTの頭文字をとって「スリート（Threet＝Three・T)」としているくらいですから。

私は、神様に祝われているような、幸せな気分になりました。

この寺院では、他にも小鳥の占いをしてもらいました。

境内でやっていた小鳥占い

サリーを着たおばあさんが、地面にシートを敷いて座っています。シートの左には箱が置かれています。

おばあさんが、タロットのような占いのカードを切り、シートの上に積み上げます。

すると脇の箱から、緑色の羽根のインコがぴょこんと出てきます。インコは、トットッと歩いて積まれたカードに近づき、1、2枚のカードを抜いて前に置くのです。

インコが箱に戻ると、おばあさんがカードを開いて、中から絵の描かれた紙を取り出します。その結果で占うというものでした。

カードの結果は、「お金の神様」でした。おばあさんによると、ぜんぜん心配はいらない、すべてが上手くいくのだそうです。家族のことも大丈夫だということでした。

信じるも信じないも自由ですが、この楽しい占い。私は信じたいと思いますよ。

コラム・インドでは、室内どころか境内でもはだし

インドの人は歩くのがゆっくりです。非常にゆったりと歩いていきます。せかせかした日本人、特に「いらち（せっかち）」文化の関西人の私からすると驚きます。暑いからでしょうか。速く歩いて、汗をかきたくないのかもしれませんね。

それから、インドでは家の中では基本的に「はだし」です。入口で履物を脱いで、はだしになります。靴下は基本的に履いていません。暑いからか靴もあまりなく、サンダル履きが多いです。インドの家や寺院などは、床が大理石なのでひんやりしています。素足で歩くと気持ちいいのです。

ところで、「室内ではだし」と言いましたが、内・外という概念が日本とかなり違います。たとえば、寺院に行くと、境内の柵から先の石畳では、はだしになります。青空が見える外でも、です。入り口付近に足を洗うための井戸があってバケツが置いてある場合もあります。日本にたとえると、神社の鳥居をくぐったらその先ははだしだった、という感覚に近いです。公園などでも、敷地の内側ははだし、というケースがあります。

ここが欧米などと大きく違うところです。欧米などでは室内でも靴をはきますが、インドでははだしです。昔、欧米人が日本を訪れて、畳の上に靴で上がった、なんてことがありました。気をつけないと、日本人もそういう間違いを犯しそうですね。

ところで、そんな風にはだしで歩いて、石ころとかを踏まないのか、と心配になりそうです。実は、けっこう踏むのです。

踏んだら痛いので、慎重に歩くようになります。おや？　だからインドの人は歩くのがゆっくりなのでしょうか。

5 インドの結婚式とお葬式

インドの会社も始めてから10年を超すと、スタッフの冠婚葬祭に参加することがあります。華やかなのは、やはり結婚式。私は社員と、社員の友人、合わせて3、4回は披露宴に参列しました。

インドの結婚は、基本的にお見合いです。スマートフォンで出会う、マッチングアプリも人気があります。ただし、日本のものと違うのは、前に述べた通り。インドで結婚するには、同じ地位のカーストである必要があります。しかも、同一カーストでも、お寺（檀家）が同じだと結婚できません。別のお寺の檀家である必要があるのです。

そういう情報が、アプリにも記載されています。カーストが揃うと、「この人がいい」と親に言います。親が同意すれば、インド占星術（ホロスコープ）で相性ぴったりか確かめます。すべてOKなら、メールで連絡を取り、向こうも同意すれば親同士で話し合いがもたれ、結婚となります。

いくつものハードルがありますが、インドは平均年齢が27・9歳と若いこともあり（国連の人口統計による。日本は47歳程度）、結婚式は頻繁に開かれます。

インドの結婚式は派手なので有名です。話によると、いろいろな式を含めて1週間くらい続けるところもあるそうです。

インドの結婚式。千人以上が招待される

基本は日本と同じように、式と披露宴（パーティ）に分かれています。

特に派手なのは、披露宴。インドの結婚式は年収の2倍くらいの費用をかけるそうです。費用は新婦側持ち。富裕層でも娘が3人いると身代を潰すと言われているくらいです。

大変ですね。

披露宴のパーティには、数千人が招待されます。私が行った式は3～4千人が招待されていました。数百人規模だと少ないと言われます。

招待といっても、千人規模だと、誰が来ているかよく分かりません。友達の知り合いの知り合いだとか、けっこうあいまいじゃないでしょうか。主催者側も把握していないでしょう。

式は大きな会場を借りて飾りつけ、音楽が大音量で流されます。

会場では新郎新婦が前のステージに立ち、一日中、来客と挨拶したり一緒に写真を撮ったりします。

来客は好きな時にやってきて、新郎新婦に挨拶します。

食事が用意されているので（カレーです）、挨拶の後は勝手に食べて帰ります。

中には、踊ったり歌ったりする人もいて、大変にぎやかです。

インドの人のお祭り好きが分かります。


では、お葬式はどうでしょうか。実は私は参列したことがありません。

ただ、社員だった若者が、親とのトラブルで事故死してしまった、という悲しい出来事がありました。

親と一緒に住もうと思っていたのに、親が勝手に出て行ったそうです。

それで親とけんかして、「言うことを聞かなければ死ぬぞ」と、半ば冗談でガソリンをかぶったのです。火をつける真似をしたところ、本当に引火してしまったのでした。

私はお悔やみのためにインドへ飛びました。

4日間のとんぼ返りです。

結局、お葬式はもう済んでいました。お葬式には参列できませんでしたが、生まれたばかりの子どもさんがいたこともあり、養育費の意味も込めて、相応の御見舞金をお渡ししてきました。

ただし、葬儀の風景は何度か見たことがあります。

ヒンドゥー教徒のお葬式は、基本的に火葬です。

身分の高い僧侶などは、お墓を持っている場合もあります。棺に入れて土葬するのです。キリスト教徒やイスラム教徒も土葬です。

しかし、一般のヒンドゥー教徒は、火葬となります。

人が亡くなったら、川辺へ運んで行きます。そこで、薪をたくさん用意して亡くなった人の周りに積み、火をつけて燃やすのです。

2日ほど燃やしていると、身体が灰になります。灰は川に流します。会社の近所の川辺へ行くと、火葬のポイントがいくつもあります。そこで亡くなった人を焼き、川に流して喪に服すのです。

聞くところによると、火葬するお金がないと、亡きがらをそのまま川へ流す場合もあるとか。

最近では、火葬場があちこちに建てられ、そこで焼く場合も増えているそうです。何より、薪による火葬には時間がかかりますが、火葬場なら1~2時間で済むためだそうです。

インドでは、川は母なるもの。沐浴も行うし、火葬の灰は川に流す。

生と死が、そのまま大いなる川の流れのように動いていると感じられます。

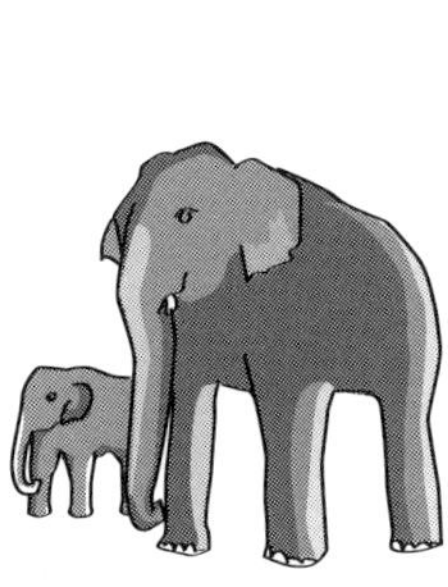

6 インドの道路事情

14年間訪れていると、インドの道路も良くなったなあ、とつくづく思います。主要都市を結ぶ高速道路はできたし、一般道もかなり整備されました。２０１１年、２度目にインドへ行った時のぬかるみのような泥道も、少なくなりました（あれは建設中の道路だったんですが……）。

インドの道路事情といえば、真っ先に思いつくのはその混雑です。車もバイクもとても多い。インドは左側通行ですが、それを知っているのか、というほど野放図です。

交差点は、中央に円形の道路がある「ラウンドアバウト」。入ってきた車は、右回りに周りながら自分の行きたい方向へ出ていく方式です。ヨーロッパで一般的な方式で、英国支配時代に導入されたのでしょう。

また、インドの車道には、信号機がほとんどありません。停電が多いこともあるのでしょうか。代わりに、車にスピードを出させないため、道路のコンクリートをわざと盛り上げたり、デコボコさせたりしています。「スピードブレーカー」というそうですが、車高の低いスポーツカーなんかは腹をこすりそう。

バイクの２人乗りは当たり前。最大、４人で乗っているのを見たことがあります。

車は、狭い道路を２列にも３列にもなって走ります。しかも猛スピード。ちょっと隙間があると、す

わざと作られた道路のデコボコ「スピードブレーカー」

ぐ割り込んできます。

騒々しいのがクラクション！　日本だと、やむを得ない場合しか鳴らしてはいけません。でも、インドでは鳴らすのが当たり前。挨拶代わりに「パーパーパーパー！」と盛大に鳴らしています。

ただし、前にも書いたように、牛がやって来ると車はストップ。牛は聖獣なので、どかすわけにもいきません。勝手に歩き去ってくれるまで、待っていることもあります。

人が多いこともあって、大混雑している道路。

そんな状況で事故は起きないのか、と思うでしょう。当然、事故は多いです。

サイドミラーが、他の車との接触で壊れたり飛んだりしている車は当たり前。左のサイドミラーがなく、右だけしか付いていない車をよく見かけます。

事故のけが人、死者も多数。町なかには、交通事故で亡くなった人のグロテスクな写真が大写しで貼ってあったりします。

「危ないことしていると、こうなるぞ」

という戒めでしょうか。

話によると、正式に運転免許を取らず、お金で買っている人もいるとか。無免許で乗るのですから、そりゃあ運転も乱暴でしょう。

警察官もいて、取り締まっています。交通法規でシートベルト着用は義務。ヘルメット着用も義務ですが、守らない人も多いです。

そこで警察もどんどん車を止めて、検挙するわけですが、そこはインド。賄賂を払って逃がしてもらった、という話もよく聞きます。相場は100ルピーだとか。160円程度ですが、正式な罰金は1千ルピーですから、ずっと安いですよね。

ちなみに、ガソリン価格は日本とそんなに違いません。物価が安いインドに慣れると、高さに驚きます。ただ、インドはロシア制裁には加わっていないので、石油不足には陥っていないようです。

道路脇にゴミが多いのも悩みでした。これは最近、きれいになりました。今のモディ首相が「クリーン・インディア」というスローガンを掲げ、インドのゴミを減らそうと、キャンペーンを行っているからです。

けれど今でも、ペットボトルは車の窓から捨てます。タバコの吸い殻も平気で投げ捨てています。汚い話ですが、立ちションもけっこう。

まあ、インドは経済成長が順調。数十年前、1964年の東京オリンピック前の日本だって、生ゴミを道端に平気で捨てていました。タバコのポイ捨てが禁止になったのも2000年頃。そう考えると、そのうち、経済だけでなく、街の美しさでも追い越される日が来ないとも限りませんね。

7 インドのバス

インドの交通手段といえば、まずバイク。次に自動車、その次がバスです。過去にイギリスの植民地だったこともあって、鉄道も発達しています。けれど、運行しない日もあり、慣れないと乗りにくいもの。

そこで、公共交通機関としては、バスが市民の足として最も活躍しています。たくさんのバスが運行していて、市内のあちこちを走っています。ルールやマナーの違いにとまどうことはありますが、車を持たない場合、移動するには便利でしょう。

インドのバスは、公営のものと私営のもの、2通りに分かれるようです。公営のバスは、だいたい州が運営している市内を走るバスです。料金が安いですが、それだけに車体は古いです。

インド市内を走る路線バスで特徴的なのは、乗降口に扉がないことです。開いたままで走っているので、人が落ちたりしないのかな、といつも思います。

もちろん、エアコンもありません。窓が全開です。

乗降口の近くには、車掌が立っていて料金を徴収しています。

値段は、20キロメートル先の隣町へ行くのに15ルピー（24円）ほど。

いつもたくさんの人が乗っており、本数もかなり多そうです。

ただし、乗り心地はあまりよくありません。バスなのに、タイヤは日本のように二重（ダブルタイヤ）ではありません。細いシングルタイヤで、ガタガタ揺れます。

一方、長距離バスもあります。私が最初にインドを訪れた時には、チェンナイから３５０キロメートル離れたヴェルールまで、深夜バスに乗って行きました。

長距離バスは、民間会社が運営していることが多いです。市内の州営バスに比べ、数百キロメートルも走るからか、乗り心地はまだまし。扉はちゃんと付いているし、エアコンも入っています。

南インドのバスは、行先表示がもちろんタミル語。読めないことが多いので、スタッフを頼ります。

インドのバス。扉がなくて人がぶらさがっている

バス停の表示も英語では書かれていません。バス停がどこにあるかを探すのも難題。長距離バスの始発バス停が、大きなターミナルではなく、小さな商店の前や道路沿いにちょこんとあったりします。

バスは平気で30分遅れてきたりします。逆に、予定時刻より早く来ることもあります。

乗り場は混雑していて、日本のように並ぶことはありません。バスの乗降は、皆が降りてから乗るといったルールはありません。乗降客が入り乱れるので混雑します。

このように、使い方にコツが必要ですが、市民の便利な足であることは間違いないバス。

私も、近所へ行ったり、空港から会社まで行き来したりする時には、よく使っているのでした。

8 インドの鉄道

インドといえば鉄道大国。インドでは1853年にボンベイ＝ターネー間に鉄道が初めて敷設されました。最初は、綿花や紅茶、石炭などを輸送する目的だったそうです。日本の鉄道が開業したのが、1872年の新橋＝横浜間ですので、それより20年も早いことになります。

インドは、鉄道の総延長も6万2千キロメートル以上と、アメリカ・中国・ロシアに次いで世界第4位。日本の鉄道が約2万7千キロメートルですから、2倍以上の路線が広がっていることになります。

しかし、インドの鉄道は、私にとってちょっと縁遠いものでした。

なんといっても、第1回目のインド出張で帰る時。第1章でも書いたように、セーラムからチェンナイまで鉄道で帰ろうとしたら、列車が動いていない日だったのです。

日本ではありえないことです。しかも、基本的にインドの長距離の鉄道はネット予約制。人でごったがえすインドでは、鉄道は乗客であふれます。近距離の鉄道なら、乗車率200％なんて当たり前。扉のない車両から、人が転落して死亡する事故も多発するくらい……。

前もって鉄道を予約して取るのは、かなり難しいのです。

それから数年。インドには年2、3回行きましたが、移動は車やバスばかり。鉄道に乗る機会はありませんでした。

ところが、2014年12月。インド出張8度目にして、初めて夢が叶ったのです。

チェンナイ駅で乗った鉄道。ブルーの車体が美しかった

チェンナイからセーラムへ列車で移動することになりました。

インドの鉄道は国有の「ＩＲ（India Railway）」。赤いレンガ造の建物が美しい、チェンナイ中央駅から、セーラムへ。ブルーの車体の、ディーゼル機関車でした。

日本の列車は、1台1台が自力で走る電車やディーゼル車です。しかしインドの鉄道は、ディーゼル機関車が動力のない客車を引っ張るというスタイル。昔の日本にもあった形式で、ちょっと懐かしい気がしますね。

しかも、インドの列車は長～いです。20両から30両はゆうにあります。客車でこうなんですから、貨物列車になるともっと長い。

車内は日本に比べれば汚れてはいますが、まあ快適。特急列車で背もたれを倒せ、テーブルも降ろせます。

私は、最上等ではないですが、そこそこビジネスクラス風の車両に乗りました。

道中には、食パンとカレーのような食事がトレイに乗って出てきました。飛行機のように、食事が出てきたのでちょっと驚きました。

車内にはエアコンはなく扇風機が

この時は、帰りも別の列車に乗ることができました。

列車は、昔の日本のように背もたれが垂直。天井には3列になって、たくさんの扇風機が取りつけてあります。インドの列車には、AC（エアコン付き）とノンAC（エアコンなし）があるのです。ただし12月なので、気温は25度程度。扇風機はほとんど回っていませんでした。

次に乗ったのは2015年3月。同じセーラムからチェンナイまでの道中ですが、なんと寝台車に乗りました。

寝台は3段。脇の梯子から、よいしょと登ります。ベルトは付属していますが、ベッドはパタンと開くタイプなので、落ちてこないのかと心配。

高級な寝台車には、エアコンがあるのですが、私の乗った車両は、扇風機のみでした。

日本では、少なくなってきた寝台車。でもインドは「寝台車王国」と言われるほどで、まだまだ現役です。最近は、モディ首相の「クリーン・インディア」スローガンが広く行きわたってきたためか、車内もきれいになってきました。

インドの寝台車は旅情を誘います。

何度でも乗りたいものです。

ちなみに、セーラムという都市は、会社のあるヴェルールから80キロメートル程度。特に観光名所があるわけではないのですが、交通の要衝でとにかく便利。ヴェルールから近いうえに、最近では直通の高速道路も走っていて、移動に便利なのです。

セーラムの駅へは、タミルナドゥ州きっての大都市チェンナイからも、ベンガルールからも列車が数多く走っています。

鉄道だけでなく、セーラム・ニュー・バススタンドという大きなバス・ターミナルもあります。

インドを初めて訪れた頃は、チェンナイやベンガルールなどの大都市の空港しか知りませんでした。だから、チェンナイの空港に降りて、そこから自動車で350キロメートルのデコボコ道を走って会社のあるヴェルールへ向かっていたわけです。チェンナイへ降りてから会社へ着くまで、まる1日かかってへとへと、という無駄なことをしていました。

寝台車の席

最近では、ティルチラーパッリなどの近くの空港を使うので、ぐっと便利になりました。移動は2、3時間で足ります。

出張も回数を重ねると、経験を積んで賢くなるわけです。インドが身近になったような気がしました。

9 電動バイクは緑のプレート

インドはバイク社会。車ももちろんたくさん走っています。

よく書いているように、道路は車とバイクだらけ。狭い道でも、車線などおかまいなし。1車線の道路なのに自動車は2列になるし、バイクは4列にも5列にもなって、それこそ雲霞のごとく猛然と走っています。交通法規がどうなっているのか分かりませんが、バイクで2人乗りは当たり前。父親が運転するバイクの前に子どもを乗せて、後ろに奥さんがもう1人の小さい子どもを抱っこして乗っていたこともあります。

その様子に、インドが持つ若さと底知れないパワーを感じます。

自動車の車種で多いのは、地元・インドのタタ・モータース社の車です。でも、日本のスズキ自動車の現地法人「マルチ・スズキ社」も多く見かけます。韓国のヒュンダイ社も走っています。

2021年度の乗用車シェア（ジェトロ「2021年度は、自動車国内販売、輸出とも増（インド）」（2022年6月29日）より）を見ると、マルチ・スズキ社が43・4％でトップ。その後にヒュンダイ社が15・7％、タタ・モータース社が12・2％と続くようです。

トヨタ社は6位で4％。

スタッフによると、「トヨタの車に乗っているのはお金持ち」というイメージが強いのだとか。

一方、バイクは非常に多く、1年間の販売台数が2千万台にも上るそうです。インドは世界最大のバイク生産国。世界のバイク生産台数は5700万台で、そのうち2千万台がインドですから、凄まじさが分かるでしょう。世界のバイクの3台に1台はインド製なのです。

「あいつら（インドのスタッフ）は、どこへ行くにもバイクに乗るなあ」

というのが、私の正直な感想です。

インドでは、「ＨＥＲＯ　ＨＯＮＤＡ」というバイクをよく見かけます。このヒーロー・ホンダ社は、インドの会社「ヒーロー・サイクル」と、日本の本田技研工業が作った合弁会社でした。

しかし２０１０年に合併を解消。２社は別々になり、ライバルと化しました。

今は、名前が変わったヒーロー・モトコープ社がシェアトップ、ホンダ社が2位です。ちなみに世界1位はホンダ社で、２位がヒーロー社です（２０２１年度）。

インドがバイク社会なのは、初めて訪れた14年前から変わりません。しかし、ちょっとした変化も感じています。

それは「電動バイク」の登場です。インドでは、電動バイクは、緑色のナンバープレートなので目立つのです。電動バイクは少しずつ普及しています。会社の前にも販売店があり、電動バイクを買った客が戻ってきて、「走っていたらトラブルで動かなくなった」と大クレーム。野次馬が集まってきて人だかりになっていました。

今、インドで人気の電動スクーターは「ＯＫＩＮＡＷＡ」というブランド。インドの会社ですが、社長が沖縄を訪れた時に、自然や暮らしぶりに感動したのが理由だとか。

ただでさえ停電が多いのに、大丈夫なのかと思います。でもガソリンに比べると電気代の方がずっと安く、長距離を走らない低所得者層にとって魅力なのだとか。

電動バイクも日本メーカーにがんばってほしいところです。

10 インドで英会話スクールへ

インドで会社を興した私ですが、ちょっとした悩みがありました。

英語が話せないのです。

出張で現地に何日か滞在していると、多少聞き取れるような気がするのですが、しゃべる方はダメ。イエスかノーしか言えません。

これでは困るので、２０１１年の2度目の滞在中、仕事の合間を見て英会話スクールに通うことにしました。

インドの「英会話スクール」です。

会社の近所にあるスクールで、授業料は1ヶ月１５００ルピー（約２４００円）です。これで毎日通ってもＯＫ。１日にしたら１００円くらいでしょうか。

英語の先生は38歳の男性。当時の私と同い年でした。

本業は別にあって、副業で英会話スクールをされているようです。

帰国する1ヶ月後までには、ホテルと空港で会話できるよう、上達させてくれるとのこと。

なかなか楽しみです。

時間は、かなり適当でした。初日は40分ほどでしたが、次の日は1時間半。その次は2時間。なぜかだんだん時間が長くなっていきます。

学習内容は、最初は日本でもおなじみ「This is a pen」からスタート。ただ、英語の教科書を読んで話す、というものが主体で、なかなか先に進みません。スクールは日によって来る生徒が違いますが、全員で5人ほど。若い女性が3人くらい、男性は2人でした。

インドの女性は、結婚すると足の薬指に指輪をはめるので分かりますが、生徒は未婚の女性ばかりでした。子どももいました。

先生の留守中に、生徒の女性の1人とちょっとした雑談をしました。なかなかに楽しい経験でした（ナンパではないですよ）。

私が通った英会話スクール

英会話スクールは面白いものでした。しかし、結局英語はしゃべれませんでした。

インド、特に南インドの英語はなまりが強く、聞き取りにくいのです。

滞在中に15回くらい通ったでしょうか。そんな程度で英語をペラペラ話そう、というのも無理はありますが、インドの人々の暮らしをかいま見たのも、よい思い出でした。

しかし、どうせ現地の人と話すために習うのなら、タミル語にしたらよかった、と思いました。

その方が、コミュニケーションは取りやすいかも。

今でも、英語もタミル語も、あまり話せないままです。でも、いつかもう一度チャレンジしたいと思っています。

11 タミル語を覚えよう!

インドは、元イギリスの植民地だったというイメージが強く、公用語もヒンドゥー語と英語です。英語ならどこで通じそうな感じがします。しかし、インドの人の英語は、訛りもあって聞き取りにくいのです。それに田舎では、英語を話せる人自体が少なくなります。

一方、会社のあるタミルナドゥ州の公用語はタミル語。スリランカやシンガポールでも公用語の一つになるほどで、全世界で7千万人以上が話すのだそうです。

ちなみに、スリランカやシンガポール、マレーシアは、南インドからはベンガル湾を隔てたお隣。マレーシアなどでは、中国人に混じって、インドの人をよく見かけます。南インドから働きに来ているのでしょう。だから、タミル語が公用語なのでしょうか。中国の「華僑」と同じく、インドからの移民を「印僑」と呼びます。

南インドに何度も来ていると、タミル語を覚えれば良かったと思うことが何度もあります。社のスタッフに話すのはもちろん、チャイ・タイムや食事で店に行ったり、親しくなった人と話したりする時。ちょっと現地の言葉を知っていると役に立ちます。

タミル語で、覚えておきたい言葉は「ポードン（poodum）」（ストップの意味）と、「コンジョマ（konjam）」（少しだけ）です。だいたい想像がつくでしょう。料理を食べる時に、カレーをかけたご飯を食べ切ると、お代わりを次々に入れてくれるのです。お皿代わりのバナナの葉を半分に折ればストップしますが、ここで「ポードン」が役に立ちます。

ライスをどっさり入れてくれるので、「コンジョマ」と言うと、ちょっとにしてくれます。

「ポードン」「コンジョマ」と私が話すと、周りの人は喜んでくれます。「タミル語を知っているぞ」といった驚きと喜びでしょうか。こんなところでもコミュニケーションは大切です。

あと、覚えておきたいのは、人を呼ぶ時の言葉です。

「アンナ（annan）」は年上の目上の人を呼ぶ言葉、「ヤンガ（yanga）」は年は離れていないが目上の人を呼ぶ言葉です。さらに「タンビ（tambi）」は目下の人を呼ぶ言葉。「ぼうず！」みたいな感じです。

「アンナ」は、名前の下に付けます。「カルティク・アンナ」などと若い社員が呼んだりします。「カルティクさん」という感じでしょうか。下に敬語を付けるところは、日本語と似ています。発音では、「カルティナ」みたいに聞こえますが。

もう一つ、覚えておきたいのは数字です。数字の言い方を知っているとかなり役に立ちます。

タミル語では、1がオンヌ（ondru）、2がレンドゥ（Irendu）、3がムーヌ（moondru）、4がナール（nangu）、5がアンジュ（ainthu）。6がアール（aaru）、7がエール（ezhu）、8がエットゥ（ettu）、9がオンバドゥ（onepathu）、10がパドゥ（pathu）。

数字を覚えておけば、だいたいの用は足ります。

月の名前は英語に近いですね。1月はジャナヴァリ（janavari）、2月はファブラヴァリ（pipravari）、4月はエープラル（epral）で、5月はメー（me）というように。

数字といえば、日本を含め、欧米では3桁ごとにカンマで区切りますね。

1，234，567というように。

でも、タミル語では3桁の次は2桁になるんです。

12，34，567。

10万の桁の言い方をラック（lakh）、その上のさらに2桁、1千万を1クロー（crore）と言います。

珍しいので、知っておくとトリヴィアとして面白いかもしれません。

最近のインド出張では、「ウカラ（utkaru）」という言葉を教わりました。「座れ」という意味です。立っているスタッフに「ウカラ！」というと、なぜか大ウケでした。

動物については、牡牛はマール（maadu）、犬はナーイ（naayi）、象はヤーネ（yaane）、鹿はマン（maanu）。

以前、野生の象を見に行ったことがあるのですが、その時に、鹿の群れを見かけました。遠い山の上に十数匹顔をのぞかせたのです。それを見て、みんなが「マン、マン」と叫んでいたので、マンが鹿だと分かりました。

あとは「ヤッパ」というと、「本当に?」という意味。「ありがとう」は、「ナンドゥリ（nandri）」です。「アーマ（aamaa）」は「はい」、「イーレ（ille）」は「いいえ」です。

なんとなく日本語に似ているような気がするのは、私だけでしょうか。

かんたん♪ タミル語講座

ポードン	ストップ
コンジョマ	少しだけ
アンナ	年上の目上の人を呼ぶとき
ヤンガ	年は離れていないが目上の人を呼ぶとき
タンビ	目下の人を呼ぶとき
ナンドゥリ	ありがとう
アーマ	はい
イーレ	いいえ

1	オンヌ(ondru)	6	アール(aaru)
2	レンドゥ(lrendu)	7	エール(ezhu)
3	ムーヌ(moondru)	8	エットウ(ettu)
4	ナール(nangu)	9	オンバドゥ(onepathu)
5	アンジュ(ainthu)	10	バドゥ(pathu)

1月	ジャナヴァリ	2月	ファブラヴァリ
4月	エープラル	5月	メー

12 スマートフォンで話す時は

インドでもやっぱりスマートフォンは必需品です。

今や、砂漠地帯ですら（いや、砂漠地帯だからこそかも）、現地の人がスマートフォンを使ってビジネスをしている時代。やはりインドや東南アジアでも、スマートフォンは欠かせません。

昔は、インドでは誰もスマートフォンなんか持っていませんでした。今では逆に、スマートフォンしか持っていません。時代は変わったなあ、とつくづく思います。

スマートフォンで問題になるのは、いかに安く、快適な通信環境を作るかということ。

初めてインドに行った２０１１年当時、私はスマートフォンをまだ持っていませんでした。ガラケーとｉＰａｄだけでした。

そして、某携帯電話会社の海外パケ・ホーダイ（外国で使える定額データ通信サービス）を契約していきました。

今は、ＳＩＭフリーのスマートフォンを使っています。

海外パケ・ホーダイなどは、やはり割高だったからです。

ＳＩＭフリーとは、小さなＩＣチップ「ＳＩＭ」を差し替えれば、通信会社を変えて、自由に通話ができるというもの。日本の機種でも、近年はＳＩＭのロックがかからないようになり、差し替えて使えます。

以前は、出かけた国ごとにＳＩＭを替えて使っていました。降り立った空港でその国のＳＩＭを買い、差し替えるのです。ただ、すぐ使えるわけではなく、「ＡＰＮ（Access Point Name）」の設定をする必要があります。

ＳＩＭの価格は、国によって異なりますが、おおむね1枚2千円といったところ。タイに行ったらタイのＳＩＭ、インドに着いたらインドのＳＩＭといった感じです。ただし、以前の南インドではＳＩＭを買えるところを見つけるのが大変でした。そこで、仕方なくインドの会社のスタッフ名義のＳＩＭを使っていました。

面白かったのは、インド出張時ではなく、シンガポールからマレーシアのジョホール・バルへ移動した時でした。シンガポールは島で、ジョホール・バルとは橋で繋がっています。シンガポールでＳＩＭを買ったはいいけれど、橋の向こうのジョホール・バルではすぐ使えなくなりました。そこで新たに買って差し替えたのです。

今は、国を超えて利用できるＳＩＭもありますので、状況はかなり変わってきていますが。

２０２３年現在は、ＮＴＴドコモ社のａｈａｍｏがなかなか良いようです。ａｈａｍｏは、海外のカバーエリアが広いし、国際的に最強ではないかと思います（ただし、ネパールがエリア外なので、私は使っていません）。

今、使っているＳＩＭは、ＡＩＳ社のＳＩＭ２Ｆｌｙです。２千円程度で、インドでもこれを使ったのですが、日本からトップアップ（チャージ）をすることができました。ＳＩＭは使い捨てのものが多いのですが、これだと再利用できて便利です。

コラム・石碑に名前を彫ってもらう時には

会社の周りには、あちこちにお寺があります。といっても仏教寺院ではありません。圧倒的に多いのは、ヒンドゥー教の寺院です。

そのお寺の一つが、建物を増築することになりました。そこで、私にも寄進をつのってきたのです。

寄進をしてくれたら、お寺の石碑に名前を彫ってくれるといいます。

なんだか、神社の石柱に彫られている名前を連想しそうです。でも、そこまで立派なものでもありません。

1000ルピー寄進したら、彫ってくれるといいます。日本円にしたら、1600円くらい。

それくらいで異国の地に、自分の名前を刻めるならば、と寄進することにしました。

ところが、カルティクが妙なことを言いだしました。

「1000ルピーだと、低いところにしか名前が載らない。もっと出したほうがいい」

石碑には、金額順に名前が彫られます。寄進の額も入ります。

やれやれ、なんとかの沙汰も金次第か。

思いましたが、どうせ彫ってもらえるなら、やっぱり高いところがいいです。

「どれくらい出せばいい」

「1001ルピー。いや、1002ルピーかな。そうしたら、かなり高い場所になると思う」

脱力しました。なんだ、何千ルピーとかじゃなく、たった2ルピーなのか。

それなら、文字通り「お安いご用」です。2ルピー追加で出しました。

そうすると、カルティクが「これならOK」と言いました。

中央に私の名前が。ただし「トルヨ シカワ」になっています。

やがてお寺の廟は完成しました。お寺の壁には、寄進した人の名前が、ずらりと並んでいました。

私の名前もその中にありました。

１００２ルピーの寄進で彫ってもらった名前は、壁のやや左寄りのあたりに掲げられました。

黒い石に白い文字で「Ｔｏｒｕｙｏ ｓｈｉｋａｗａ Ｊａｐａｎ・・・１００２」と彫られています。

確かに、１０００ルピー、１００１ルピーが続いていますので、１００２ルピーのほうが高い場所になっています。

あれ？ 私は変なことに気づきました。名前の区切りが違う。「トルヨ・シカワ」になっているぞ。

日本人の名前は珍しいので、彫る人が間違えてしまったのでしょう。

でも、これも楽しい思い出です。

13 インドの大学で講演!?

実は、インドで講演をしたことがあります。

２０１７年12月に、セーラムの大学で、学生数百人を相手にビジネスの話をしました。

ただ、私１人が講演を行ったわけではありません。安田勝也さんという人と一緒でした。


安田勝也さんは、建設業を中心とした企業コンサルタント。行政書士と中小企業診断士の資格を所有し、大阪府貝塚市で株式会社パールと安田コンサルティングを営まれています。

以前からの知人でしたが、２０１７年のある日、東岸和田で「一緒に飲もう」と誘われました。

参加者は、私と安田さんともう１人で合計３人。飲み会では、ビジネスに関してなど、楽しい話が続きました。ところがしばらくして、安田さんが、こんなことを言い出しました。

「一度、海外で講演をしてみたいなあ」

安田さんは、コンサルタントとして、あちこちで講演を行っています。ただし、海外では講演をしたことがない。一度体験してみたいとのことでした。

そこで、私は答えました。

「インドのパートナーに、ちょっと聞いてみましょうか」

思いつきで出た言葉でしたが、安田さんは乗ってきました。

ぜひに、ということだったので、インドのパートナー、センティルに相談することにしました。

セーラムの大学で講演

センティルは「やってみましょう」、と快諾しました。

センティルが快諾したのには理由があります。センティルは、我がシンプラン・ソフトウェア・インディア社の取締役であると同時に、日本の大手人材派遣会社の仕事もしています。主な仕事は、日本に行きたがっているインドの学生を見つけて、就職先を斡旋すること。

日本でのビジネスがどんなに魅力的か、インドの大学で我々が講演をする。興味を持ったインドの人材をスカウトしようと思ったのです。

インドでは物事が決まるとスピーディです。トントン拍子に話が進みました。

会社の近くの都市、セーラムの大学5ヶ所で、学生を相手に安田さんが講演を行うことになったのです。

私は最初、安田さんのアテンド（立会人）程度の気持ちでした。

ところが、妻がこう言ったのです。

「あんたも、ついでに何か話したら？　日本の大学で講演したことがあるやんか」

それはそうなのですが……。と思っていたら、安田さんも大乗り気。センティルを通訳に、講演をすることになりました。

時間は15分。安田さんがメイン講演者で1時間話しますので、その前にステージに出ます。

最初の大学では、大きなホールに観衆が数百人。次は千人にもなりました。

講演では、初めにこう言いました。

「私がタミル語で知っている言葉は『タンビ』（ぼうず！）です」

会場がどっと湧きました。ツカミはバッチリです。

資料は3、4枚しか用意していませんでした。ちょうど、ブロックチェーン技術やビットコインが流行っていた頃だったので、

「これらを作ったのはサトシ・ナカモトです。日本人である可能性もあります」

と語りました。ただ、サトシ・ナカモトの正体は不明で、日本人かどうかは分からないのですが。

また、日本の地図を見せ、

「これが何に見える？」

と来場者に聞いてみました。場内の学生の1人から「ドラゴン」という答えが上がります。

私は頷き、

「そうです。日本はアジアを引っ張る龍として、経済を発展させているのです」

と語ったりしました。

私と安田さんは、計5回の講演を無事終えました。盛況でした。

また、機会があったら、講演を行いたいと思います。

そしてインドの若者たちに、私の目標である「Software is made in Japan——日本の技術で創るソフトウェアを世界にはばたかせる」を強く印象づけられるよう、がんばりたいと思います。

14 インドの牛

インドでは、牛は聖獣です。

正確には、インドの人口の約8割を占めるヒンドゥー教徒の間で、牛は神聖なものとして崇められています。牛肉を食べることはおろか、牛を殺したり、害を加えたりしてはいけません。

牛がなぜ神聖なものとされるかというと、ヒンドゥー教の重要な神の一つ、シヴァ神が乗っているのが牛だからなど、いくつもの説があるようです。

また、農業国インドでは牛は畑を耕したり、荷物を運んでくれたりする重要な家畜。神聖とされなかったとしても、大切であることに間違いはありません。

ちなみに私は「うし年生まれ」。こんなところからも、インドとの縁を感じます。

インドの牛は、茶色い品種が多い印象があります。日本でおなじみの白黒の模様の乳牛、ホルスタインはあまり見かけません。

インドで、道路を車で走っていると、よく牛を見かけます。人が誰もいない草地などに、何頭もの牛がのんびり草を食べていることがあります。

「あ、野良牛だ」

私は思うのですが、違うのだそうです。（たいがいの日本人は「野良牛だ」と思うようです。）草地にぽつんといる牛でも、全部飼い主がおり、印をつけて飼育されているのです。

道ばたで草を食べている牛。これも飼い牛だ

中には、道路脇をとぼとぼ歩いている牛もいますが、これにも飼い主がいます。

もともと、インドでは牛を囲いの中で飼育する習慣がないようです。放し飼いも多いそうです。

前にも書きましたが、インドで牛といえば、道路での座り込み。そもそも道端を歩いているのですから、道路の真ん中に寝そべったりすることも多く、一度鎮座するとなかなか動きません。

せっかちなインドの人も、こういう場合は牛が退いてくれるまで待ちます。牛を驚かせてはいけないので、クラクションもあまり鳴らしません（鳴らすこともあります）。奈良の聖獣・鹿の感じにもよく似ています。でも奈良の鹿はちゃんと横断歩道を渡ったりしてくれるので、もっと人馴れしているようです。


インドではよく、現地の人に「牛肉を食べるのか」と聞かれました。

「食べる」と答えると、うへぇー、というような顔をされます。ただ、聖獣といっても現代のインドの人はサバサバしています。日本を訪れたことのある会社のスタッフに、「好きな食べ物は？」と聞くと、「吉野家の牛丼」と答えたりします。

また、インドでは多彩な人々が暮らしているので、イスラム教徒などは牛肉を食べます。インドは、実は牛肉の生産量も多く、輸出量は世界一です。

その一方で、インドには、州令で牛を殺すのを禁じている州もあります。厳格な土地もあることは忘れてはいけません。

牛肉は食べないですが、ミルクは飲みます。ビニール袋に入っていて、あちこちで売られています。また、ヨーグルトやバターミルクなど、乳製品もよく口にします。ヨーグルトなどは、カレーに混ぜるなど、切っても切れない食品です。

バイクと自動車と人で、それこそ殺人的に混雑する道路を、のんびり牛がかっ歩しているのもインド。不思議な国だなあ、と思います。

ただし、急速な近代化の進展からでしょうか。２０２３年となった最近は、道路を歩く牛も減りました。農地ではよく見るのですが、都会では少なくなった気がします。ただし、野良犬は以前も今もいっぱいいて、迷惑を感じます。

15 インドのカースト

インドを語る時、カーストを避けて通ることはできません。

インドには、残念ながら「カースト」（インドでは「キャスト」と発音します）があります。

カーストは、紀元前13世紀ころからあるとされる、ヒンドゥー教の階級制度。カーストとは身分制度の総称で、ヴァルナ（宗教的身分制度）とジャーティ（職業・地縁などの分別）に分かれているといわれます。日本でよく知られる、バラモン（僧侶）、クシャトリア（王族・武人）、バイシャ（庶民）、シユードラ（奴隷）の4つの階層はヴァルナにあたるもの。それ以外の職業や地縁などの細かい階級がジャーティのようです。この制度がインド社会を長く縛り、発展をはばんできたともいわれます。

インドでは1950年に制定された憲法で、カーストによる差別の禁止が明記されました。カーストそのものは否定されていません。


カーストは、根強く残っています。南インドの田舎では、特にその傾向が強いです。

日本では先の4種類が知られますが、実際は3千種類ほどあるそうです。

「階級制度」とはいうものの、我々が思っているようなものとはちょっと違います。

インドの人の感覚では、職業の種別に近い感じを受けます（ジャーティでしょうか）。

実際、僧侶が一番偉いのかというと、現地ではそんなに敬われている感じは受けません。階級が高い低い、とされている人々の中にも貧富の差はあります。階級が低い人にも非常に裕福な人がいれば、政治家もいる。むしろ、その階級の意見を代表するような感じで政治家が選ばれます。なお、マハラジャ（昔の地方領主）も、少ないながらまだいるそうです。

一方で、階級が高い人の中にも貧しい人はいます。ただし、農家の中でも庄屋さんをやっている人はずっと昔から庄屋さんだし、小作農だった人はずっと小作です。そうした意味では、階級の固定化を感じます。

そうしたカーストですが、ＩＴ業界の発展には役立ったといわれています。カーストでは、古くからある職業については縛りが細かく定められています。しかし、ＩＴのような新しい職業については、決まりがないのです。だから、才能ある若者で、階級の低さを憂えている若者が多数ＩＴ業界を目指し、発展したのではないかというのです。

一方で、それは神話に過ぎない、やっぱりＩＴの教育を十分に受けられるのは階級の高い裕福な若者だ。という説もあり、実態は分かりません。

ただし一時期、インドの労働賃金の安さとＩＴ技術者の多さが注目を集め、世界から仕事が殺到したのも確かなようです。インドの人も、ＩＴを職業にすればお金持ちになれる、と飛びついた面もあります。

インドで有名なＩＴ企業では、自動車で有名なタタ・グループの「タタ・コンサルタンシー・サービス」があります。でも、こちらは財閥系。もともと裕福な一族が始めた会社です。

その一方で、南インドのベンガルールには「インフォシス」があります。

こちらは、７人のエンジニア仲間たちがわずか２５０ドルの資金でスタートさせたＩＴ企業。財閥とは関係ありませんが、現在は従業員は30万人を超え、2兆円の売上を記録しています。これこそが、インディアン・ドリームでしょう。

なお、インドには「留保制度」があります。カーストの低い人々に、入学や就職の優先枠を設けているのです。現在のモディ政権になってから、制度は拡大される傾向にあるとか。インドのスタッフに聞いた話ですが、優秀な大学も、上位カーストの人は試験で80点だと落ちる場合があるが、低カーストの人が80点とったら受かった、ということもあるようです。

さて、わが社シンプラン・ソフトウェア・インディア社が比較的好調なのは、カーストの影響もあるのではないかと考えたりします。

会社は、パートナーのセンティルが、彼の幼なじみに声をかけて社員を集めました。センティルは田舎の庄屋さんのような比較的高い地位にいます。カーストでは、似た地位の人が集まりやすいのです。だから、比較的豊かで教育のある人々が集まったのではないか、とも考えるのです。

カーストのような身分制度は、法的にも実際もなくなるべきです。幸いなことに、IT業界は「新しい職業」ですので、階級制度の嫌な面を見せられることはあまりありません。今後いずれ、インドの人々が、カーストから自由になり、自分の心のままに仕事や生活、結婚ができることを願ってやみません。

16 インドの女性のおしゃれ

インドの女性は、ファッショナブルです。インドの女性は活発ですし、社会進出もかなり進んでいます。ただし、前にも述べたように残念ながら、未婚女性の間に限られます。結婚すると、家族の意見もあるのでしょうか。家に引っ込んでしまいます。その辺りは、古い社会をまだ引きずっている感じです。

インドの女性の服装といえば、まずサリー。子どもなどは、シャツやブラウスを着ていますし、チェンナイなどの都会では、女性もジーンズも履きます。でも、結婚したり、ある程度の年齢になったりするとサリーを着ます。服装については、州ごとに慣習が異なっています。保守的な土地では、まだまだ洋服を着ている女性に眉をひそめる人も多いようです。

ちなみに、我がヴェルールの街では、若い女性もサリーを着ています。子どももジーンズを着ることはありません。保守的な土地柄だと思います。

私がよく行くチャイの店にも、サリーを着たおばさんたちがいます。

サリーは、5メートルから長いもので8メートルほどの、透けるような薄いシルクの布。長方形をしていて、美しい文様がプリントされています。

普通は、サリーの下にまず「チョリ」という半袖のブラウスを着ます。このブラウス、丈が短くて、おへそが見えるくらいです。それから、スカートのようなペチコートも着ます。

チャイの店の女性たち

インドの女性は、その上から上手にサリーを巻き、身にまといます。巻いた布の最後は、一方の肩にかけるとか、カーテンのようにひだ（ドレープ）を作って垂らすとか、いろいろな着かたがあるようです。

インドの女性は、サリーに加えて、腕輪やピアスやイヤリングなどの耳飾りをします。

ピアスの穴は、女の子は赤ん坊の頃に開けるそうです。昔は、男女とも、金細工師が生後28日目に耳たぶにバターを塗って開けたんだとか。インドでは重要な儀式だったそうですが、今は女児のみ。だいたいはお医者さんへ行って、開けてもらうということです。

インドの女性というと、婚礼や重要なパーティの時には、豪華なネックレスやピアス、額に垂らす頭飾りをつけます。美しい頭飾りは、「ティッカ」という名前。先端にフックがあって、頭のてっぺんの髪に引っかけ、額を美しく飾ります。さすがに普段はティッカはしませんが、ピアスと腕輪はよく見かけます。

また、インドの女性を象徴しているのが「ビンディ」。ヒンドゥー教徒の女性が、額の真ん中に付ける丸く赤い装飾です。ビンディは基本的に、結婚していて夫が存命中の女性がつけるもの。

昔は赤い顔料を塗ったそうですが、最近はシールになって売っているものも多く、ファッションの一種として人気だそうです。赤い丸だけでなく、宝石のようにおしゃれなものも人気です。

そんなインド女性ですが、日本ではちょっと見かけないものが「メヘンディ」。手足に唐草のような美しい文様を描く、ボディ・ペイントです。

結婚式を迎える新婦などが、描いてもらうそうです。

タトゥーと見間違いそうですが、「ヘナ」という草をすり潰したもので描くとのこと。

2週間くらいすれば消えてしまうそうです。

日本のネイルアートの感覚だと思えばいいでしょうか。

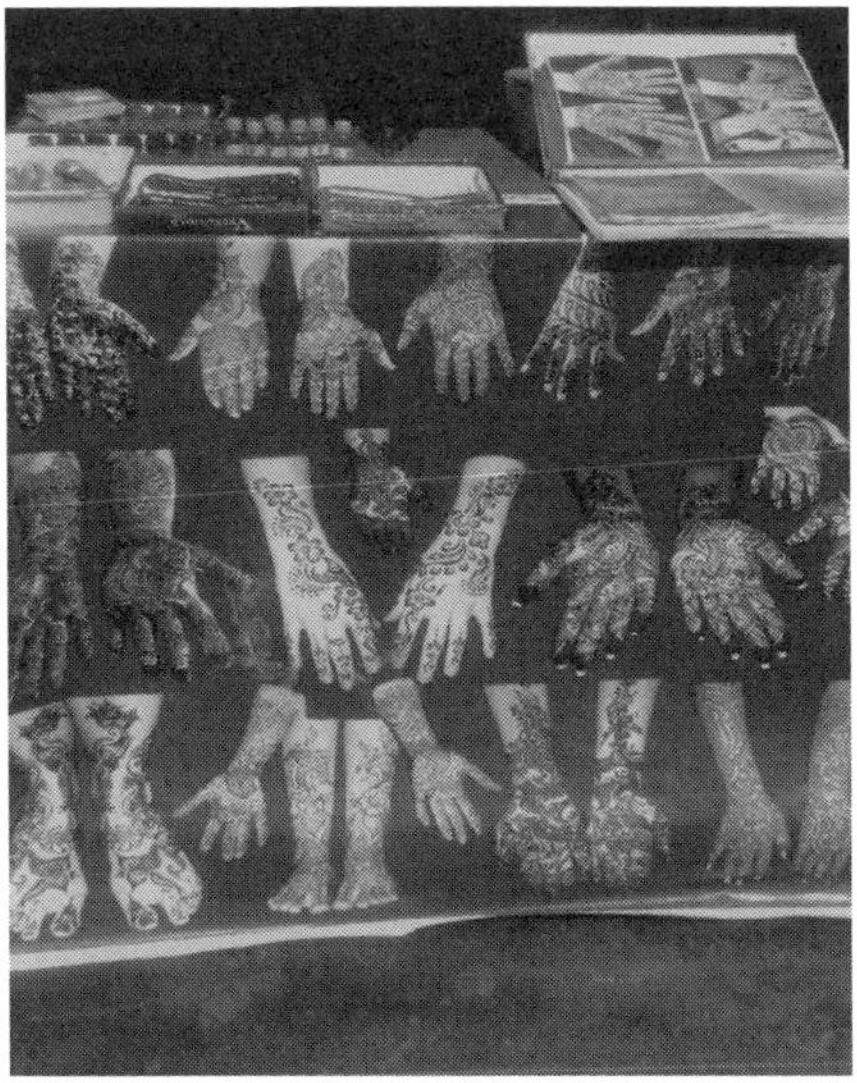
手足に美しい文様を描くメヘンディ

インド女性は、鼻筋が通っていることもあり、凛とした美しさがあります。
わがシンプラン・ソフトウェア・インディア社にも女性社員がいます。（インドに限らず、日本でもそうですが）女性たちが、社会でも十分な活躍ができるよう、努力していかなければ、と思っています。

17

インドでシャツを仕立てよう！

前にも言ったように、インドは綿織物をはじめ、繊維・アパレル産業で世界的に有名です。ニットの街として有名なティルプールに、子ども服を仕入れに行ったこともあります。

もともとインドは、イギリスの植民地として、17世紀から質の高い綿製品を輸出していた国。その後、イギリスの産業革命によって、機械で製造された低価格の綿の衣類が逆輸入されて大打撃を受けます。やがて、20世紀に入ってから、インド独立の父・ガンジーらの運動で、再び国産の綿製品を使うようになっていきました。

そのような昔から、インドの綿製品は世界に誇る品質のものなのです。

ところでインドでは、布地を売る店や、既製品の服に混じって、シャツやドレスの仕立てができる店があちこちにあります。

イギリス統治下での影響でしょうか、英国仕込みのシャツを安く作ることができるのです。

日本では、自分なりの洋服を仕立てるとなると、かなり値段がかかります。第一、仕立てをしてくれるお店がなかなか見つかりません。

けれどインドでは、気に入った布を自分で選んで、服を仕立ててもらうことがごく当たり前に行われているのです。ちょっと明治の昔にでも戻ったような気分になりますね。

そんなわけで、私はインドへ出張するたびにシャツを作ります。一度はスラックスも作ったことがあります。1度につきシャツを4～10着作ります。スラックスは2、3本作りました。

ニットの町・ティルプールに並ぶ服飾店

そんなに？　と思われるかもしれませんが、実は仕立て代は５００ルピー（８００円）くらい。布地は背丈に合わせて１・５～６メートル買いますが、それも同じほど。

１着だと、お仕立て代を含めても２千円前後。日本のアパレル量販店より安く作れるのです。

作ったシャツは、日本に帰ってからも会社に着ていきます。カラフルなシャツの数々は、私のファッションに彩りを添えてくれます。

じゃあ、どうやって仕立てるのでしょうか。

スタッフに紹介されたのは、ヴェルールから20キロメートルほど南にある、カルールという街の仕立て屋さんでした。

インドに着いた翌日に注文して、９日後に出来上がりました。スピードはなかなかで値段も安い。

でも、そんなに安くて仕上げは粗くないのか。心配になる人もいるかもしれませんが、出来は店によります。

この店は、日本と比べて遜色のない仕上がりでした。

日本より丁寧なところもあります。たとえば胸のポケットの布は、下地の胸と模様をぴったり合わせてくれるので

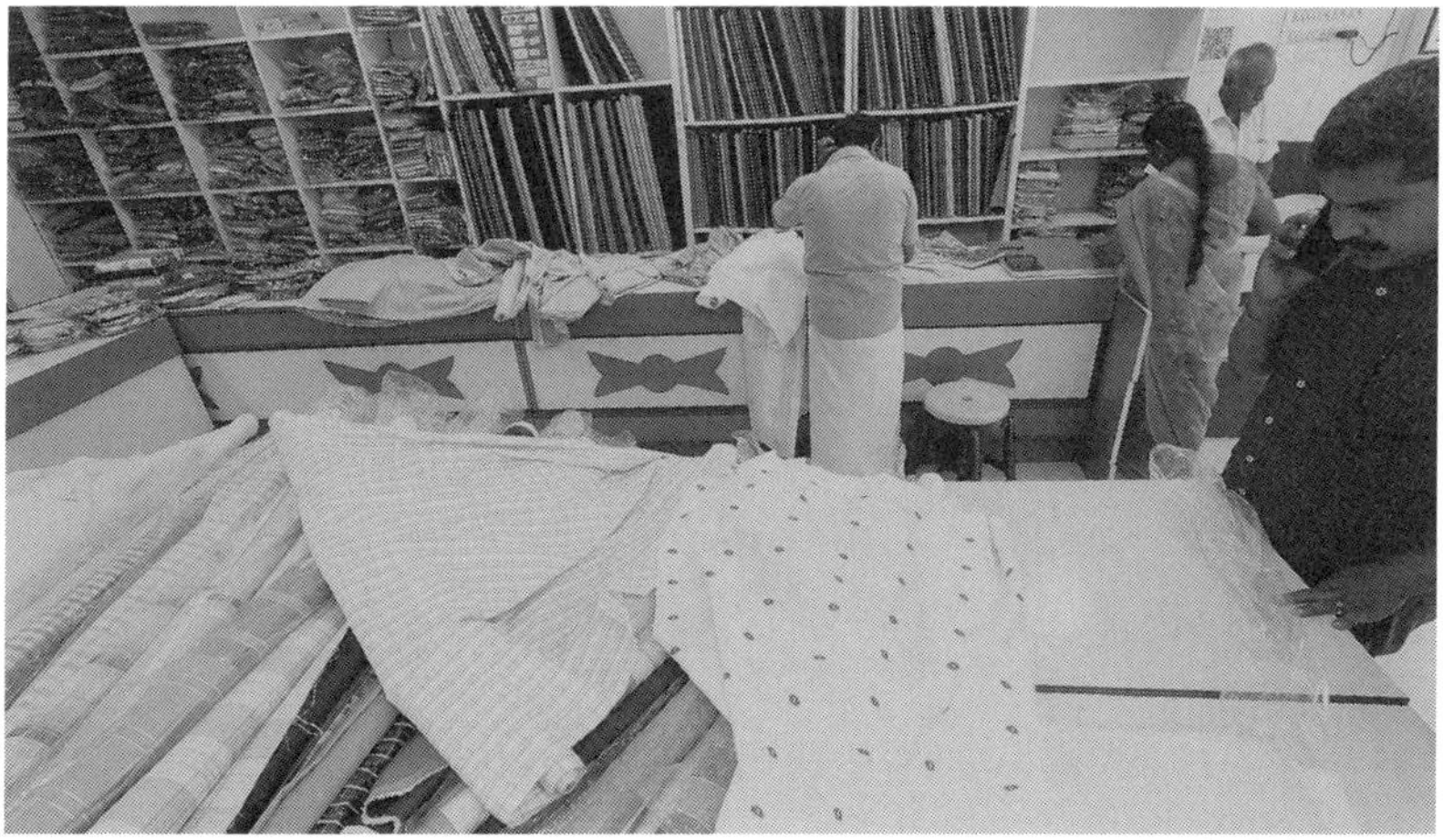
インドの仕立て屋さん

す。だから、ぱっと見ただけだと、ポケットが消えたように見えます。

私はシャツを作るのが好きで、日本でもよく仕立てます。でも、ポケットの模様までは合わせてもらえません。

一方、日本の仕立てでは、ボタンはどのデザインにしようとか、襟の形とか袖の仕上げなどを細かく選べます。インドでは、（店にもよるのでしょうが）そこはおまかせ。選ぶことはできません。ただ、シャツの裾を指示しようとすると「オールドタイプ」と言われてしまいました。日本のファッションは、古いようです。

実は、シンプラン・ソフトウェア・インディア社がある建物の1階も仕立て屋でした。閉店するというので5着ほど買いましたが、生地は200ルピーで、仕立てを合わせて400ルピー。1着数百円ですが、さすがにこの店は、質はいまイチでした。

インドには、良い仕立て屋さんが多いです。日本では少なくなりましたが、オリジナルのシャツを作るのは楽しいもの。機会があったらぜひ試されることをお勧めします。

18 インドも明るくなった!

インドを初めて訪れてから、もう14年になります。その間、インドもかなり変わりました。最初に訪れた頃は、道路の状態が悪く、建設途中の泥道みたいなところもありました。けれど、それから3～4年ほどたって、近くの都市、セーラムとの間に高速道路が開通しました。高速道路ができて、嬉しいことに、車での移動がとても便利になりました。

街もゴミが少なくなり、きれいになってきました。インドの現在の首相、ナレンドラ・モディが主導するスローガン「クリーン・インディア」（インドに5年間で1億ヶ所以上のトイレを設置するなど、衛生環境の向上に努める政策）が、それなりに効果を挙げていると感じます。

何より変わったことは、街が明るくなったことです。

新型コロナの影響で、近年はしばらくインドに行けませんでした。しかし2022年、行ってみて驚きました。

あちこちの街灯や家の照明が、ＬＥＤに置き換わっていたのです。

インドでは、夜の街は暗いというイメージがありました。まだ全部が全部、というわけではありませんが、特に家の電灯にＬＥＤが増えていました。夜の街路もちょっと明るくなり、安全になった気がします。

停電もかつては多かったですが、最近は減ってきました。一番ありがたいことかもしれません。

勢いのある発展を続けるインド。次に出張した時には、何が変わっているのか、楽しみです。

19 インドの州と市と県と郡

わがインドのＩＴ会社、シンプラン・ソフトウェア・インディア社の住所は、Paramathi-Velur, Namakkal (DT), Tamilnadu, India。

外国の住所表記は、分かりにくい場合も多いですが、インドではどうなっているのでしょう。

日本には県の下に市や郡や区、その下に町村があります。

同じように、インドにも市や県や郡があります。

インドは連邦国家です。28の州（State）と首都デリーのある「デリー首都圏」を含む８つの連邦直轄領（Union Territories）からなっています。

前にも書いたように、それぞれの州には自治権があり、独立した政府のようになっています。州ごとに独自の法律が定められ、各州に州都があって、州知事や議会、裁判所が置かれています。

州を「State（国）」と言うくらいですから、その権限は強いです。たとえば、州によって法律はさまざまです。お酒を飲むのを法律で禁じている州もあります。

わがシンプラン・ソフトウェア・インディア社のあるのはタミルナドゥ州。州都はチェンナイです。面積は約13万平方キロメートル。インドでも一番南にある州で、海をはさんでスリランカと接しています。

お酒好きな私には幸いなことに、タミルナドゥ州は、禁酒ではありません。でも、お酒とタバコはやはり「ワルイコト」という印象です。

州による法律の違いを挙げれば、たとえば「宝くじ」。この前、インドのスタッフと旅行で隣のケーララ州へ出かけました。すると、宝くじ売り場があるのです。うちのスタッフも買っていましたが、会社のあるタミルナドゥ州では、宝くじは禁止です。

なぜって？　昔は、タミルナドゥ州でも宝くじを売っていました。しかし人々の中に、「全力で買う人」が多数現れたのです。全力で買う、つまり「全財産を宝くじにつぎ込む」のです。そういう人は、つぎ込むと当選した気になります。気前よく他人におごったり、高い物をツケで買ったりします。当然、そんなに簡単に当たるわけはなく、外れた人は絶望して自死してしまいます。それが社会問題になるほど増えたので、禁止になったのです。

インドの行政区分では、州の下に「県（District）」があり、その下に「郡（Block）」があります。ちなみに州の下には「地方（Division）」、県の下には「地区（Subdistrict）」もあります。これは日本の「関東地方」というくらいの意味で、行政区分ではありません。

県ごとにも、日本の県庁のような行政組織があります。

タミルナドゥ州は、30の県に分かれています。州都チェンナイがあるのがチェンナイ県。わが社があるヴェルールは、ナーマッカル県にあります。交通の要衝であるセーラムはセーラム県、国際空港のあるティルチラーパッリは、ティルチラーパッリ県にある、といった具合です。

ナーマッカル県は、人口２００万人弱で、面積は約３４００平方キロメートル。大きさは鳥取県くらいですので、県エリアの面積は日本とそう大差ないでしょう。ちなみに鳥取県の人口は57万人くらい。人口密度は、インドの方が上です。

ナーマッカル県はさらに4つの郡に分かれています。

ヴェルールのあるのは、パラマッティ・ヴェルール郡です。

郡の下には、さらに村（Village）があります。都市部と農村部では、また行政区分が違うようです。

なお、インドのスタッフから、最近、郡の下に「区」ができた、と聞きました。区分がはっきりせず、ややこしいですが、subdistrictのようなものでしょうか。

会社のあるヴェルールは、パラマッティ・ヴェルール郡の小さな田舎町。わがシンプラン・ソフトウェア・インディア社は、この小さな町で最初にできたIT企業です。わが社に古くからいるスタッフの中には、「自分の会社が町で最初のIT企業であること」にとても誇りを持っている者もいます。

そこまでなのかは分かりませんが、なかなかに異彩を放っていることは確かです。


2023年現在、わが町にはIT企業は他に2社ほどできていて、主にヨーロッパからの仕事を受けているようです。

会社名は分からないですが、代表がヨーロッパで仕事をしていて、インドにも会社を作ったらしい、とのこと。プログラミング言語のJavascriptの環境、node.jsを使った開発を行っているようです。チャイ・タイムの時に、会社のスタッフが店の人に聞いてきました。

コラム・インドの人の「しぐさ」

どこの国でも、特有のしぐさや動きの習慣がありますよね。たとえば日本人のおじぎは、他のアジア諸国に比べて独特です。正座して両手を前について頭を下げる、なんてことも日本特有です。インドにも、他の国にはない、一風変わったしぐさがあります。

まず、首を片方に傾ける。これは、インドでは「はい」とか「ＯＫ」を表すしぐさです。同じように、首をゆっくり左右に振るのを繰り返すしぐさもあります。これは、「まあいいよ」とか「まあまあＯＫですよ」という意味です。「ＩＳＯＬＡＴＩＯＮ（アイソレーション）」と言うそうです。日本語に訳すと「分離」などの意味になりますが、ダンス用語では、身体の一部分だけを動かすことだそうです。

日本人から見ると、「あれ？」とか、疑問を表すようなしぐさに見えますよね。でも、インドではこれがＯＫの返事なのです。首を振るのと、指でＯＫサインを出すのを組み合わせる場合もあります。

最初はとまどうかもしれませんが、インドでは非常によく見かけます。一見ＯＫとは思えないので、からかわれているのと勘違いしないように。

また、インドでは、男性同士でも手をつなぎます。けっこう多いです。日本や欧米だと、同性のカップルかな、と思われがちですが、そうではありません。仲良し同士や親愛の情を表すのでしょうか。友だちでよく手をつないだり、肩を組んだりして歩いているのを見かけます。日本では、女の子の友達同士が手をつないでいるのを見ます。それと同じような感覚かもしれません。

ただし、ハグをしているのはあまり見かけません。南インドにだけ習慣がないのでしょうか。

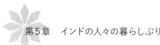

20 インドの選挙

私はインドを18回訪問しています（２０２３年4月時点）。そこでたびたび出くわすのが、選挙の熱狂です。

インドの人は選挙が大好き。有権者数が9億人だそうですから、そりゃ大騒ぎにもなるでしょう。

私がインドにいる時には、総選挙（連邦下院選挙）もあったし、州選挙もありました。

インドの議会は上院と下院に分かれています。上院は各州の議会が議員を選び、定員は２５０議席程度。下院は、国民全体が選ぶ小選挙区制で、定員は５４０議席ほどです。

日本の衆議院にあたる下院が、力を持っています。

またインドは、28の州と、デリー首都圏などの8つの連邦直轄領に分かれています。

州の独立性と権限は強く、中央の政府とは別に、各州に州知事がいます。この州知事らを選ぶ時も、華々しく選挙が行われます。

連邦議会は、（たくさんの党はありますが）主にモディ首相率いるインドの人民党と、インド国民会議派の2大政党に分かれています。そして総選挙では、どちらが勝つかで白熱しているようです。

インドの選挙の方式は、日本と違って、紙に書く投票制ではありません。

機械を使った「電子投票式」です。この機械というのは、一見、電子ピアノ（ピアニカと言ったほうがいいでしょうか）に似ています。

このピアニカの一列に並んだボタンの横に、政党名と政党のマークが書かれています。たとえば、インド国民会議は「てのひら」のマーク、インドの人民党は「ハスの花」のマークといった具合です。マークと政党名は20ほども並んでいます。投票者が、支持政党を選んでボタンを押すと、投票ができるしくみです。

マークが決まっているのは、字を読めない人のためでしょう。

選挙結果は、電子式なのですぐ分かるそうです。しかし、インドは広大なため、選挙を行う日が週ごとに違い、すべてが終わるまで1ヶ月以上もかかります。

２０１９年の選挙では、インドの人民党が前回に引き続き圧勝しました。

州選挙があったのは、会社のあるタミルナドゥ州の首相であったジャヤラリタ氏が、２０１６年に病気で死去した時です。氏は女優出身で「アンマ（お母さん）」と呼ばれて人気を集めていました。州では葬儀の日が休みになりました。彼女の代わりを選ぶのに、州選挙が行われたのです。当時はジャヤラリタ首相の後継者が勝利したようですが、２０２１年には、ライバル政党のスターリン氏に政権が移ったようです。

選挙に熱狂するインドの人々。私がよく行くティー・ハウス（チャイの店）でも客の間で議論が行われているようです。ただ、タミル語が分からないのが残念です。どんな議論が戦わされているのでしょうか。

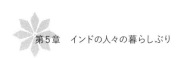

21 インドの人へお土産を

私はインドへ行く時には、必ず現地スタッフにお土産を買っていきます。

実は、私個人のインド行きの荷物は、そんなに多くはありません。

シャツが5枚ほどと、下着が5着ほど、ズボンが少し。会社のあるタミルナドゥ州は年じゅう温かいですし、服はそれだけあれば、週末に自分で洗濯することができます。

あとは、ＰＣを持って行くこともありますが、スマートフォンと愛用のシステム手帳など少々。

私は、もともと余分な物を持って行かない性格。自分の物は、普通の大きさのバックパックがあれば足りるくらいです。

スマートフォンの時代になって、つくづく荷物も簡略になったなあと思います。

でもインド行きでは、キャスターのついたスーツケースを常に持って行きます。

スーツケースの中身は、インドのスタッフへのお土産。

持ち物の６割は、お土産だといってもいいでしょう。

誰にあげるかというと、まずスタッフの子どもへ。５～６人いるので、それぞれに持って行きます。

たとえば12歳くらいの子には、こすれば消せるボールペンをあげたりします。日本の小学6年生くらいです。

子どもは、学校へ持って行って、

「日本のおっちゃんから、こんなものをもらった」

と自慢するそうです。その光景を想像すると、思わず笑顔になります。

別の子は、絵を描くのが好きなので、色鉛筆を買って行ったりします。

スタッフに対しては、主にお菓子。ただし、チョコレート系はインドの暑さで溶けてしまうので厳禁。ヨックモックのクッキーや、ゴーフルなどをよく持って行きます。

インドの人は、日本ならではのお菓子を美味しそうに食べてくれます。昔持って行った、タイガースの縦縞模様が入ったミニゴーフルの空き缶は、スタッフの灰皿として、現役で使われています。

他にはパートナーのセンティルや、彼の両親、会社で借りているビルのオーナーなどに菓子折りなどを贈ります。

では、逆にインドから日本へ買って帰るお土産はというと。

よく買うのは、「ピーナッツチッキ（Peanuts Chikki）」です。ピーナッツを砂糖で固めてバーにした、茶色く甘いお菓子です。

以前は、インドは紅茶の国だから、と思って、茶葉をお土産に買って帰っていました。

ところがこれは、当時は不評でした。社員が男性ばかりだったからでしょうか。

インド産の紅茶は、ティーバックではなく、茶葉はそのまま。日本の男性スタッフは、ポットに茶葉を入れて飲むのを面倒がるんですね。インドのカレーが作れる香辛料も買って帰ったのですが、これも使ってくれませんでした。今は女性スタッフも多いので喜んでくれるかもしれません。

お土産とは、つくづく難しいものではあります。

22 ヴェルールでは日本人は1人っきり

わが社がある街・ヴェルール（Ｖｅｌｕｒ）は、正式な名前を「パラマッティ・ヴェルール（Paramathi Velur）」といいます。呼び名は似ていますが、大都市のヴェルール（Ｖｅｌｌｏｒｅ）ではありません。

人口10万人弱の小《ち》っちゃな田舎町です。

ヴェルールは、チェンナイから南西に３５０キロメートルほど下った場所です。大都市で地図にもあるヴェールールは、チェンナイの西１５０キロメートルくらいですから、勘違いされませんように。

そういえば、２０２２年の出張では、日本に帰る時、ティルチラーパッリ空港で警官に呼び止められ、職務質問をされました。カバンの中身を出して見せるなどして大変でしたが、理由の一つはヴェルール。警官に「どこに滞在していたんだ」と聞かれたので、「ヴェルール」と答えたら、大都市のヴェールールと勘違いしたのです。

「ヴェールールなら、チェンナイ空港の方が近いだろう？　なぜティルチラーパッリに来ている」と、信じてくれません。警官も自分の英語が通じていないのが分かって、焦っていたようです。

私が「パラマッティ・ヴェルール」と言っても通じないので、押し問答の末、「（ヴェルールのある県の）ナーマッカルから来た」と言ったらやっと放してくれました。

いやはや。でもこういうトラブルも、旅の醍醐味ですけどね。

インドの人は陽気でおしゃべり好き

ヴェルールの主要産業は、南インドで一般的な農業。米の他、サトウキビやココナッツ、バナナ、カヤツリグサ、ヤムイモ、タピオカなどを産します。
会社のある場所は人口密集地ですが、少し郊外に出ると水田や畑が広がります。

こんな田舎町ですので、当然、ヴェルールにいる日本人は私1人。大都会のチェンナイには、日本人会もあるほど。でも、ここには日本人はおろか、外国人もいません。テレビ番組『こんなところに日本人』みたいな状況です。最初に訪れた頃は、日本人1人っきりの状況にビクビク、ドキドキしていました。

飛行機の乗り継ぎで、バンコクから南インドまでは飛行機内に日本人は私1人か、よくても東アジア系がもう1人。心細くならない方がおかしいというもの。

しかし、インドの人は陽気でとにかくおしゃべり好き。見知らぬ相手でもすぐに話しかけてきます。こちらは日本語、相手はタミル語で会話していても、なんとなく意思疎通ができるので、すぐに平気になってしまいました。

前にも書きましたが、会社のスタッフに呼ばれて家を訪ねると、近所の人が、「日本人がいるんだって。おお、あれが日本人か」と集まってきます。

私が幼い頃、日本の田舎では、外国人が外を歩いていると珍しいので、子どもたちがよく群がっていました。後をついていったり、サインをねだったりもしたのです。外国人をスターだと思ってたんですね。そんな感じにちょっと似ています。

ヴェルールでは、毎週日曜日に市場が開かれます。私は、写真を撮るのが好きなので、市場は格好のスポット。カメラを首から下げてウロウロしていると、大人も子どもも寄ってきます。

そして、「写真を撮ってくれ」と言い出すのです。面白いので写真を撮り、皆に見せると大喜び。なんだか、昭和の時代に戻ったような気がしました。

一つ困ったのは、私が街を歩くと、しきりに「チャイニーズ！　チャイニーズ！」と言ってくること。中国人と間違えられるのです。インドと中国の仲は険悪。ちょっと危険な気もします。

日本人なのになあ、と考えた末、いいことを思いつきました。ちょうど２０２１年の東京オリンピックの頃。背中にでかでかと「ＪＡＰＡＮ」と書いてあるジャージ（レプリカ）を着て行ったのです。

相手はそれを見て、「おお、ジャパニーズか」と話しかけてくるようになりました。

何ごとも工夫（？）というのは大切なものです。

写真といえば、今はインドでも、皆スマートフォンを持っていて、写真をパシャパシャ撮っています。だから写真のことを聞かれないかというと、そうでもありません。

「そのスマートフォン、画質が良いな。どこのメーカーだ？」

なんて聞かれるのです。

「ソニーだ」と答えると、「ああ、いい製品持っているな」と言われます。

私はつくづく思いました。こういう時には、やはり国産メーカーのものを持っていかなければ。

時代が変わりつつあるとはいえ、まだ外国人の日本製品への信頼は深いものがあります。そして私は、「日本人だから、日本のものは良い、と思われたい」と感じています。

日本製品だけではありません。出会う人やモノによっても、「国のイメージ」は出来上がります。

外国へ1人で行く時、私は日本人の代表です。だから、変なことができないのです。「なんだ、あの日本人は」と言われて、日本のイメージを傷つけたくない。

それで私は、常に笑顔でいます。最初の挨拶が笑顔なので、笑っていたら、向こうも笑顔で応対してくれるので。

タイでもカンボジアでもそうですが、旅をしていると時々「多くの先人たちが築き上げた『日本人』というイメージが、我々を守ってくれている」と感じるような事態に遭遇します。日本人だと分かると、相手の態度が良くなったりするのです。日本へ旅行したり、また日本人と会ったりした時に、良いイメージができたのでしょう。

自分が安全に旅行できるのは、そのおかげだと思っています。先人たちが悪いことをせず、良いことをした。そのおかげで良いことが巡ってきたのです。

私は、南インドのヴェルールで、たった1人の日本人。後に来る人のために、街の人々に「日本人は良い」と思ってほしい。そこで、街のためになることはないかと考え、毎日を送っています。

23

インド日本人会へ飛び込んでみたら

インドで会社を持っている私ですが、「インドで事業を展開できないか」と思ったことがあります（今でも考えています）。

これまで、わがシンプラン・ソフトウェア・インディア社は、日本で販売されているシステムを、日本からの発注で作っていました。オリジナルのシステムはありませんでした。日本の株式会社スリートの完全下請けだったわけです。

そこで、インドの会社でシステムを開発して、自国内向けに売りたいと思ったのです。

インド社会は、何かを売ろうという人であふれています。日本でも「インド向けに何か売りたい！」と考えている会社がたくさんあります。「相手に売りたい」人だらけ。でも、日本の製品を「欲しい」という声はあまり聞きません。

インドで、日本から何かを買おうと思う人はあまりいないのです。

インドの人は、自国の製品で十分足りていると思っています。しかも、安くないと買ってくれません。

インドで成功している日本の会社は少なく、スズキ自動車の現地法人マルチ・スズキや、ホンダのバイクなど大手企業に限られます。街を歩くと、マルチ・スズキの車にいっぱい出くわします。インドをはじめ海外では軽自動車の分類がありません。666ccの車だとエアコンが付いていないので、800cc以上の車をよく見かけます。

インドでは、海外企業の参入が難しいとされています。

でも私には、「日本のＩＴ技術を世界に広めたい」という野望があります。そんなインドでこそ、システム開発を請け負えないだろうかと思ったのです。

私は考えました。インドの人から仕事をもらうにはどうしたらいいだろう？　そうだ、インドで仕事をするなら、まず人脈だ。人脈を作るにはどうしたらいいだろう？

そこで思いついたのです。インドの商工会議所か日本人会に入ったらいいんじゃないか。

会社のあるヴェルールは田舎なので、両方ともありません。あるとしたら大都会のチェンナイです。

私はチェンナイへ行きました。そこで、日本人会に入ることができました。チェンナイには日本商工会もあり、センティルが入っています。

日本人会では、１年に何回か、イベントが開かれます。

最初に参加したのは、忘年会でした。グループに分かれて、演し物をするのです。我々のグループは、確か有名なアニメ映画のパロディを寸劇仕立てにしたと思います。

ただし、私は会社がチェンナイから遠かったし、限られた期間しかいないこともあって、照明係でしたが。


さて、日本人会に入会しているのは、インドでビジネスに成功している人ばかりです。その中にはＩＴ系もあるかもしれない。ＩＴ系だったら、インドに開発チームを持っている人がいるかもしれません。そこに我々の会社も参加させてもらえたら、ビジネスが始められるのではないか、と考えました。

しかし、残念なことにＩＴ系は少なかったのです。

しかも、思い知らされたのです。インド日本人会に来ている人は、私とは違うのだと。日本人会は、大手企業のビジネスマンであふれていました。そこでは、皆が王様のような生活をしていました。1人1台、運転手つきの車を持っている。そして、牛の殺生が禁じられているインドでは牛肉が手に入らないからと、タイまで出かけて買ってくるような暮らしです。

ラーメンは珍しく、1杯2千円や3千円もするのに、安い安いと喜んで食べている。

独りぼっちでインドへやってきて、少しでもビジネスチャンスがないかと、あくせく探している自分とはなんという差でしょう。

「いやぁ、この人たちとは住む世界が違うわ」

と感じたことを覚えています。日本人会の中にも、私と同じように感じていた人もいて、「いやー、あんなに高いもの、食べられませんよね〜」と苦笑していました。（ところで、インドで銀行の方にもお会いしましたが、名刺にメールアドレスが印刷されていたのに驚きました。日本では、機密漏洩防止のために、銀行員は社外向けにはメールアドレスがないのが一般的です。）

遠方だったこともあって、しばらくして日本人会へは行かなくなりました。でも、フェイスブックで今でも連絡している方は数名おられます。

第6章　インドで旅行

1 インドの会社の社員旅行!?

インドの会社にも社員旅行があります。ただし、私はインド出張の日程が合わないこともあって、行ったことはありません。

インドの会社の社員旅行は、基本的に1月1日～4日。年末年始の休暇を利用します。しかも彼らは、年末の12月31日の終業時から準備して、夜に出発。それで1月5日の始業の2時間前まで遊んでいるようです。そのパワー、あきれるほどです。

そういうわけで私は、社員旅行の経験がありません。しかし、インドのスタッフが「週末にどこかへ行きませんか?」と誘ってくれるので、一緒に旅行に行ったことはあります。

最初に出かけたのは２０１１年。会社のあるヴェルールから北西へ１５０キロメートルほど行った「ウッティ（Ｏｏｔｙ、ウダガマンダラム）」という街でした。会社と同じタミルナドゥ州にあります。スタッフと４人で行きました。

ウッティは、インドが英国領だった頃にイギリス人の避暑地として開発された土地。標高2千メートルを超える西ガーツ山脈の、ニルギリ丘陵にあります。山岳地帯だけあって気候は非常に涼しいです。

今ではインドの人の観光地としてにぎわっています。

インドの「軽井沢」みたいな感じですよね。

町は広々としていて、一面の紅茶畑。インドは紅茶の名産地なので、あちこちに広大な畑を見かけま

インドではあちこち車に乗って旅行をした

す。見渡す限り広がる、赤らんだ緑色の、丸く刈られた紅茶の樹々。斜面には、紅茶畑に埋もれるようにして、黄色に塗られた住宅が建ち並んでいました。なんともいえず美しいものです。

現地には、イギリス領だった時代の風物が色濃く残っています。

植民地時代に建てられたストーンハウス。１８２９年に建てられた聖ステファン教会など。英国風の植物園も広がっていました。

このウッティ植物園は約22万ヘクタールの広さがあります。敷地内には芝生が広がり、散歩道が続きます。温室もあって珍しい植物が育てられていました。

また、近くのウッティ湖でボートに乗ったり、白馬に乗ったりすることもできます。

町では、マンゴーを食べて休みました。スタッフと一緒に、マンゴーに唐がらしをかけて食べます。甘辛い味わいを楽しみながら、庭園の花を眺めていると、日々の疲れが癒されるようでした。

他にも、会社から西へちょっと行った場所へ、滝を見に行ったことがあります。標高千メートルほどの山の中。車で急こう配をぐいぐい登っていきます。気候はとても涼しく、寒いほど。

滝の名は、「アアガヤ・ギャンガイ滝」。有名なジョグの滝（インド南部で一番高い滝）ほどではありませんが、それでもけっこう大きな滝でした。落差３００フィート（91メートル）だそうです。インド国内でもそんなに知られてはいませんが、日本だとかなり大きな滝に含まれるかも。

しかし見に行くのが大変。入口から滝つぼまで、石の階段が千段以上あり、ずーっと降りていくのです。もう「どこまで降りるんだ」というくらい下って、ようやく滝つぼに到着です。

巨大な滝。滝に打たれる人がいっぱい

落水に打たれている観光客もいました。修行というわけではなく、単に涼んでいるのでしょう。日本だったら、「危険なのでお止めください」と看板が出ているところです。

たっぷり涼んだ後、今度は千段の階段を登って、入口まで戻りました。行きはよいよい（良くもありませんが）、帰りはしんどい。面白いけど大変な旅でした。

2 ヴァスコ・ダ・ガマの墓があるコチ（コーチン）へ

インドの会社の「社員?旅行」では、ケーララ州のコチ（Ｋｏｃｈｉ、スタッフは「コーチン」と呼ぶ）へも行きました。２０１２年7月、４回目のインド訪問時です。

コチは会社のあるヴェルールから南西へ３５０キロメートル以上離れた海辺の町。アラビア海に面しています。

コチは、ヴァスコ・ダ・ガマが亡くなった街として有名です。ヴァスコ・ダ・ガマはポルトガル人です。大航海時代の15世紀、初めてヨーロッパからアフリカの喜望峰を経て、インドに到達。インド航路を発見し、ヨーロッパとインドの貿易の基礎を築きました。

この旅行の時は、仕事で会社に詰めっきり。早朝から深夜の2時まで働いていたので、社員が気を利かせて、「遠足に行こう」と誘ってくれたのです。

参加者は、社員と知り合いも含めて総勢9人。全員が1台の車に乗ります。３列席で一番後ろは対面座席ですが、さほど大きな車ではありません。ぎゅうぎゅう詰めでした。

車内で音楽をガンガン流しながら、インドの「遠足」へ旅立ちます。

さすがに３５０キロメートルもの旅は、１日で終わるわけではありません。コチまで行く途中に、大きな山脈にさしかかりました。

川があったので、皆で服を脱ぎ、パンツ１丁で川に入って沐浴です。

浜辺に並ぶチャイニーズ・フィッシング・ネット

インドの人は不思議議と川で泳ごうとしません。水にゆったり浸かる感じです。

これも旅の一興。

そんなことをしていると、お腹が痛くなってきました。仲間3人で茂みに入ってぬかるみに腰を落とし、用を足しました。連れションならず、連れなんとかです。ところが、1人がヒルにお尻を吸われてひどい目に遭いました。天罰が下ったのかもしれません。

私は大丈夫でした。

この山の中で、ホテルを探して一泊です。

実は山の一部は、象の保護区（ネリヤンパシー・フォレスト保護区）で、夜間は立ち入り禁止になるのです。夜は道路を走れません。行き当たりばったりで、ホテルを探して、一泊しました。

2日目に、コチへ到着しました。

コチは、ヴァスコ・ダ・ガマによって発見され、ポルトガルに占領されてインドで初めてヨーロッパの植民地にな

ヴァスコ・ダ・ガマの墓

った都市。後にゴアに中心は移りますが、古くからの交易で栄えました。

　コチの街は、異国情緒たっぷり。街には、ヨーロッパ風のコロニアル様式の建物が多く残っています。この建物群、ちょっと中国を思わせるような赤い瓦の屋根。他にはない、独特な風景を感じさせます。

　通りを歩く人々も顔立ちが違い、ヨーロッパ人風です。コチの港には巨大なクレーンなどが林立しています。しかし、浜辺を歩けば、魅力的な光景に出会えます。「チャイニーズ・フィッシング・ネット」です。

　大きな丸太を伸ばし、その先に木を組んで作った四角形の網を張ったもの。網をいったん海に沈めて、魚の群れが通るのを待って引き揚げます。そして、かかった魚を獲るのです。

　昔、中国から伝わった漁法が、世界中でほぼここだけに残っているのです。網が浜辺に並んでいる様子は、旅情を誘います。

　続いて行ったのは、ヴァスコ・ダ・ガマの墓です。ガマは1524年、3度目の航海でコチを訪れた折り、病気で亡くなりました。墓は、市の観光の中心地、フォートコチ地区の聖フランシス教会にあります。聖フランシス教会は1503年建立。インドで最も古いキリスト教会です。

正面は、独特のうねりを持った、ポルトガル風のデザインです。

ボートハウスで1泊

墓は教会の中に、ひっそりと安置されていました。

実はヴァスコ・ダ・ガマは、インドでは決して尊敬されている人物ではありません。3度の航海でコチを植民地にした時に暴虐を働いたため、侵略者として見られているのです。

映画産業の盛んなインドでは、ヴァスコ・ダ・ガマをテーマにした作品もあります。ただし、あまりいい描き方はされていません。まあ、有名は有名だけど、忘れられている、といった感じでしょうか。

コチでは、貸し切りのボートハウスにも乗りました。

市の南には、カイサパザ湖、ベンバナード湖という南北に細長い湖があります。その岸に、ボートハウスがたくさん係留されているのです。大きさはマイクロバスほどでしょうか。屋根付きで、中に寝室やソファを置いた部屋があり、くつろぎながら船旅を楽しむことができます。かつて米などの運搬に使われていた木造船を改造したものだそうです。

ここで運転手付きの1艘を借りて、皆で1泊のボート周遊を楽しむことにしました。

ボートハウスは、細長い湖をゆっくり周遊していきます。途中で、湖に浮かんだまま、ランチとなりました。ランチは、魚のフライとカレー、それから、パリパリせんべいのアッパラム（パパド）。

フライは、手のひらくらいの魚を丸ごと揚げたもの。骨が多いですが、右手で食べるので、きれいに取り分けることができます。こういう時、素手は便利です。

湖には、いくつか島が点在しており、ボート専用の船着き場もありました。

そこに立ち寄って、売店でお菓子や飲み物、服を買うこともできます。びっくりしたのは、日本のカップ麺を売っていたこと。驚くべき世界食です。

そして、夜は宴会です。皆でココナッツミルクのお酒などを飲みました。

ココナッツのお酒は甘くなくて、私にはさほど美味しく感じられませんでした。でも、宴会は大いに楽しみました。

ボートハウスの旅は、これまでに2回行きました。楽しいので、コチ（コーチン）へ行かれたなら、ぜひ一度乗られるようお勧めします。

船の旅

3 イーシャで沐浴

インドから帰る時は、あちこちの空港を利用します。最初は、タミルナドゥ州第一の都市、チェンナイ国際空港でした。その後は、第2の都市であるティルチラーパッリの国際空港だったり、隣の州・カルナータカ州の大都市、ベンガルールの国際空港だったり。最近はもっぱらコインバトール空港です。世界的な繊維産業の町・ティルプールに近いこともあって、外国人が多く、利用しやすいのです。

空港へ向かうたび、数百キロメートルも旅をします。

前日から車で走り出し、途中で時間をつぶすため、思わぬ街や観光地に立ち寄ったりすることもあります。

イーシャは、コインバトール空港から帰る途中で訪れた場所です。会社のスタッフから、「行ってみよう」と誘われたのでした。

コインバトールの近郊、熱帯雨林が広がるベリヤンギリ山のふもとにあります。

イーシャは、大規模なヨガ施設。1994年にサドゥグルという聖者が設立した、ヨガの国際的なボランティア組織だそうです。ヨガを通じて、人間の潜在能力を伸ばすことを目的としているということでした。

まず、行ってみてびっくり。広大な敷地の中心に、巨大な神様の胸像が建っています。

ヒンドゥー教の三大神の一つ、シヴァの像だということ。鋼鉄でできていて、髪の毛の脇に、三日月

イーシャの巨大なシヴァ神像

があしらわれていました。

すごいのは、これだけではありません。脇にドーム型のディアナリンガ寺院という大きな施設があり、そこで瞑想を行うことができます。

もっとすごいのは、沐浴場です。

写真撮影が禁じられているので紹介できませんが、幅20メートル以上はあろうかという大きさ。最初、映画「テルマエ・ロマエ」か、と思ったくらいです。

そこで沐浴をするのです。入る前にバスタオル1枚になり、あとは裸。誰が使ったか分からないようなタオルだし、濡れていたので、かなり抵抗がありました。それを腰に巻いて沐浴場に入っていきます。

沐浴場には、大きな3本の柱が建っていました。潜ってその柱に触れれば、お祈りが通じるそうです。

インドに慣れた私ですが、たくさんの人が沐浴して濁った水に潜るのは、さすがにためらわれました。でも、郷に入れば郷に従え。潜って柱に触れたので、お祈りは通じるのではないでしょうか。

柱に触れた後は、その先の瞑想場へ行きます。そこで瞑想を行います。このヨガの組織の信者でしょうか。外国人も何人か見かけました。

ちょっと変わった、面白い体験でした。

4 幻想的な「カルティカ・ディーパム」と、深夜の象の行進

秋といえば、日本では中秋の名月。「お月見」でしっとりした秋の風情を味わえます。そんな祭りはインドにはないのでしょうか。

あります。

会社のあるタミルナドゥ州でも、11月か12月の満月の日に、幻想的なお祭りが行われるのです。その名は「カルティカ・ディーパム」。

タミルの暦にあるカルティカ月（11月中旬から12月中旬まで）の満月の日に祝われるお祭りです。「ディーパム」はランプの意味。

インドに詳しい方なら「ディワーリー」という光のお祭りがあるのをご存じでしょう。カルティカ月の新月に行われ、街じゅうがクリスマスのように、ろうそくや光で美しく飾られます。

ディワーリーは、北インドを中心としたお祭り。タミルナドゥ州の「カルティカ・ディーパム」は、ディワーリーの南インド版だといっていいでしょう。

祭りの当日には、家の前や路地などに、「コーラム」という花のよ

コーラム

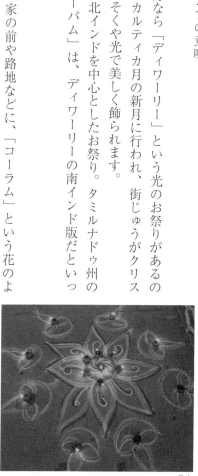

うに美しい文様を描きます。

そしてそこに、火の灯ったランプを配置するのです。

時間は夕方の6時くらいからでしょうか。

ランプは、手のひらに乗るような小さなもの。オイルで燃えます。

夕刻。あたりが暗くなると、ランプの明りに、コーラムの文様がオレンジ色に浮かび上がります。

街じゅうでランプの光が揺れ、とても幻想的です。

街なかだけでなく、家の中もランプだらけです。

会社では、この日、神棚を作り、社員みんなでお祈りをしました。

こんな特別な日に、ちょうどインドに居合わせたのに、私は不思議な縁を感じました。

もう一つ、夜のお祭りでは驚いたことがあります。

２０１１年。3回目のインド出張が終わり、ベンガルール国際空港から帰るという頃。

まだ出発まで時間があるので、ホテルのベッドでごろごろしていると。

外がなんだか騒がしいのです。

家の前に美しい明かり文様が描かれる
カルティカ・ディーパム

ベンガルールで深夜に突如現れた象。
何のお祭りかは分からない

窓から、外を見て驚きました。黄金の飾りをつけ、背中に人を乗せた象が、道路をノッシノッシと歩いているではありませんか。

象の周囲には大行列。ある者は明かりを掲げ、ある者は中世の異国人の絵に出てくるような、大きく丸いパラソルを持っている。そして鉦や太鼓を打ち鳴らしながら、街を練り歩いていきます。

住宅街のど真ん中を進んできたので、度肝を抜かれました。

私はわくわくしながら、部屋を出て、象の祭りを見に行きました。
金色の鼻飾りと衝立のような衣装を身にまとった象が、ライトの中に浮かびます。
私は、興奮を抑えきれませんでした。
すごい。すごい。なんとすごいことか。
私は、インドの壮大さに目を見張ったのでした。

象には、２０１７年に会社のあるヴェルールでも出会いました。私が夜ご飯を食べに、道路を歩いていた時です。

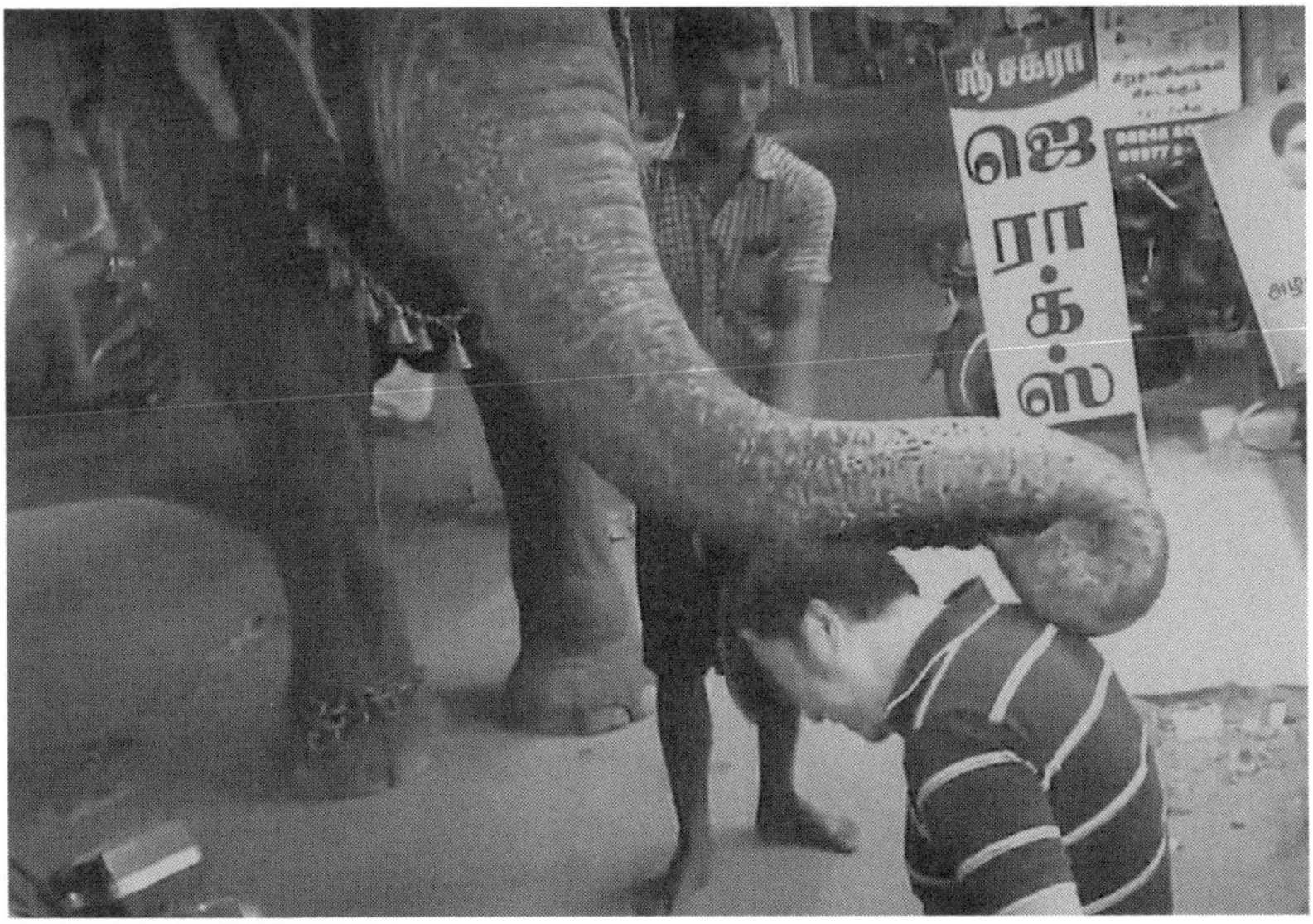
会社の近くにやってきた象。器用に頭をなでてくれた

鼻で頭をなでてくれる、というので、やってもらいました。寄進のお金をいくらか払って、象の前でしゃがむと、きれいな模様をペイントした鼻を伸ばしてきました。象の鼻は意外にパサパサしていて、ズシリと重い感じでした。動物園で嗅ぐ、野生の臭いがしました。

野生の象も見てみたくて、コチへの旅行の時、ツアーに行きました。確かそれなりにお金を払ったと思います。朝から象のいそうなスポットをジープで走りましたがついに会えませんでした。「2時間前にいた」らしいので、縁がなかったのでしょう。残念です。

大きな大きなインド。象が象徴しているようです。

5 必ず立ち寄るタイの「エラワン廟」

インド出張では、行きも帰りもタイのバンコクへ降り立つことがよくあります。トランスファー（飛行機乗り継ぎ）の中継地なのです。

トランスファーでは長くて1日、短くても5時間以上待たされることがしばしば。

そんな時、私はある場所へ出かけます。

プラ・プロム。通称「エラワン廟」。

バンコクの東の端にあるスワンナプーム国際空港から西へ約20キロメートル。バンコクの中央部、グランド・ハイアット・ホテル・エラワンの一角にある小さなヒンドゥー教の祠です。

ここはタイで一番、いや世界有数のパワースポットなのです。

エラワン廟は、ホテル建設時、1953年に建てられました。でも、工事中に事故が相次いだためにヒンドゥー教の占星術師に見てもらいました。するとヒンドゥー教の宇宙最高神「ブラフマー」を祀る祠を建てればよい、とお告げがあったのです。廟を建てると事故が収まったため、「願いが叶う神様」として人気になったそうです。

廟は、驚くほど小さな一角にあります。四角い柵で囲われ、中央には、金色に輝くブラフマー像が祀られています。柵の四方には、花とろうそくと線香を捧げる場所があり、お参りした人々が捧げたマリーゴールドの花輪がいっぱい。

ホテルの一角にあるエラワン廟

廟の後ろには館があり、舞踏団が待機しています。花や線香もその脇で売っており、買って供えるのです。

ここを訪れる人は、ブラフマーにお願いをします。そして願いが叶うと、ブラフマーに感謝を込めて、舞踏団の踊りを奉納するのです。

感謝の踊りは、1分ほど。値段は、踊り子の数にもよりますが、2人で260バーツ（千円ほど　※1バーツ＝約4円で換算）、4人で360バーツ（1400円ほど）、8人で710バーツ（2800円ほど）。

申し込んで、館の前で合掌して座ると、後ろでタイの伝統衣装を着た女性たちが、音楽に合わせて踊ってくれます。

私がここを初めて訪れたのは、まだ会社の経営がうまくいかず、年商が少ない時代でした。

そこで私は、このエラワン廟とインドの地元ヴェルールのヒンドゥー教寺院で「年商を1億円にしてください。叶ったら、感謝の踊りを捧げます」と、願をかけました。

やがて願いは叶い、私は無事に廟で踊りを捧げることができました。

私は、エラワン廟を訪れると、毎回30分ほど、長くて1時間も滞在します。

そして、いろいろなことに思いを巡らせ、心を落ち着かせます。

もともと、パワースポットや神秘的なこと、信仰に関することが好きなこともあります。

ここは、私にとって何かをじっくり考えるのには、最適な場所なのです。

エラワン廟は、２０１５年に爆弾テロが発生。20名が犠牲になるという不幸な事件がありました。

事件の背景は不明ですが、タイの観光と経済に打撃を与えるために行われたものだともいわれます。

私は、事件のすぐ後に訪れています。恐ろしくはありましたが、やはり、旅の途中でここを訪れないわけにはいきません。

エラワン廟は、私の心の小さな、けれどしっかりした支えになっているのです。

舞踏団の踊り子たち

6 ネパールのＩＴ企業へ

インドへ行く途中に、ネパールを訪れたこともあります。これまでに合計3回訪れました。

最初にネパールへ立ち寄ったのは、２０１３年12月。

「ネパールのＩＴ企業と仕事をしたいのだが、どういう会社なのか見てきてもらえないか」

という、日本の知り合いの社長からの依頼でした。

ネパールはご存じの通り、南をインド、北を中国のチベットに挟まれた高山国です。世界最高峰のエベレスト（標高８８４８メートル）を擁するヒマラヤ山脈が国の北部を東西に走ります。

ネパールはもともと王政の国でしたが、近年はクーデターが発生。国王は象徴となり議会制になりました。

政情はまだまだ安定していませんが、市民は普通に生活しています。ただし、インドよりは貧しいと思います。

関西国際空港からバンコクを経由し、首都カトマンドゥの空港に到着。

スワヤンブナート

ネパールのIT企業にて

初めての国なので、空港では手続きにとまどい、入国審査を済ませるまでに1時間以上かかってしまいました。

ネパールは、レンガ造の建物が並ぶ国でした。

到着したその日には、ちょっと観光をしました。ネパールは、2015年の大地震で大きな被害を受けましたが、その前です。

出かけたのは、市の西の小高い丘にある「スワヤンブナート」。ネパール最古の仏教寺院で世界遺産です。

400段もある階段を登った先に、白い、おまんじゅうのようなドーム。その上に、仏陀の目が描かれた黄金の仏塔が建っています。

ドームの白い階段を登ってお参りしてきました。

それにしても、ネパールは道が悪いです。とても首都の道路とは思えません。

観光の後は、妻が日本から手配してくれた宿で一泊。宿の主人は、偶然にもネパール人男性と日本人女性の夫婦でした。

値段は1泊10ドル程度です。

古都バクタプル

とっぷりと暗くなった頃、宿の近くの寺院で、礼拝が行われました。寺の前に長い敷物を引き、捧げ物を並べて、スピーカーでお祈りを流します。

参拝者がたくさん集まっていて、ライトに照らされ、とても神秘的な雰囲気でした。

翌日は、会社訪問を2社。最初は、(後でお話しする)ケケの友人の会社です。ここは社員数6～7人。

2社目は知り合いの社長に頼まれていたIT企業。社員の総勢は40名くらいでした。

創業社長はなんと24歳。ネパールでは、実力のある人はどんどん欧米など、海外へ出ていくそうです。国内のIT企業はかなり少ないということでした。

会社は、カナダや香港、イギリスの会社と取引しているようです。

社員の平均月収は5～6万円。少ないようですが、ネパールの平均月収は1・5～2万円程度らしいので、相当な高給取りだと思われます。

日本の知人への報告は、スマートフォンを使って、ライブ実況で行いました。

頼まれていた会社訪問が終われば、飛行機の出発時間までもう少し観光。カトマンドゥの東、10キロメートルほどの距離にある「バクタプル」という街です。古代ネワール人の街だということで、赤いレンガの屋根が印象的でした。古都で、いわば「ネパールの京都」みたいな場所です。

中心部のダルバール広場には、旧王宮や寺院が密集しています。ここでは、ニャタポラ寺院を訪れました。ヒンドゥー教の寺院で、１７０２年の建立。高さ30メートルの五重塔は、市内で最も高く、またネパールで最も高い塔でもあります。

寺院の階段に並ぶ、狛犬のような獅子や象の石像を眺めながら、ひとときを過ごしました。中に入るには、15ドルかかりました。

ネパールはとても祭りや儀式が多く、年間３００日はお祭りがあるといわれます。祝祭都市なんですね。

ネパールでは「クマリ」にも出会ったことがあります。

クマリとは、ネパールの生きる女神で、女の子です。ネパールの守護神である、女神アルナプルナなどの生まれ変わりとされ、初潮前の女の子が国内から選ばれます。クマリは神の子として館に入り、さまざまな儀式を行います。そして、初潮を迎えるまで、クマリとして過ごすのです。

カトマンドゥには「クマリの館」があります。私がその前を通りかかると、偶然に2階から顔を現しました。普通の子どもに見えました。以前は、めったに人前に姿を現さなかったようです。

クマリの館。最上階の窓から、ちょこんと顔を覗かせた

しかし最近は、観光客へのサービスとしてときどき顔を出すとか。

ネパールには本当に、神秘が多くあると思います。

クマリはネパールの宗教的伝統です。ただ一方で、幼児を自分の意思でなく、正式な教育を受ける機会も十分与えず、長い間隔離してしまいます。それゆえ人権問題としての批判もあります。ネパール政府も、時代に合わせた対応を模索しているようです。

7 ネパールで出会った妙な彼

神秘の国、ネパールですが、そこでちょっと変わった人間と知り合いになりました。ケケです。

カトマンドゥの空港から出ると、いきなり日本語で話しかけてくる男がいました。

「通訳必要ありませんか」「どこまで行きますか？」

――いちばんアカン奴や。

直感しました。下手に返事をすると、つきまとわれて、ぼったくりに遭います。

「いらない、いらない」とずっと断っていたのですが、延々とついてきて話しかけてきます。妙に日本語が上手なのが気になりました。

そこで根負けして、聞いてみました。

「この会社まで行くんだけど、ナンボで行ける？」

「これくらいかかる」

やっぱり高い値段です。

「そんなの高いんちゃうの。もっとまけて」

私もいい根性です。日本の家電量販店でもインドでも、値切り交渉には慣れています。かなり値切りました。

私の心には、ある考えがありました。彼は、日本語をかなり流ちょうに話します。私はこの後、ＩＴ

企業を訪れる予定でした。私は英語を話せません。

「彼に通訳をさせよう」

ガイドの料金交渉は、まあ適当な値段で収まりました。そこで、彼を臨時のネパール語通訳として、訪問する会社に同行させたのです。

こうして知り合った彼ですが、通訳としてはよく働きました。ケケの本名はキショール・カティワダ(Kishor Khatiwada)。なぜケケと呼ぶかというと、イニシャルが「K・K」だからです。

気のいい人間で、観光案内をさせたら、お茶をおごられました。そこでスマートフォンでSNSのIDなどを交換し、仲良くなりました。

「僕は、横山やすしに似ているってよく言われます。似てるでしょ？　ヤッさん、と言われることもありますよ」

などと言っていました。


彼は時々、連絡して来ました。彼は、ネパールで観光客向けのガイドなどをしていました。

その彼がある日、

「日本へ行きたい」

と言うのです。ネパールから日本へ渡航するには、観光でも招聘状が必要になります。しばらく付き合って、信用できる人間だと思ったので、招聘状を書きました。

彼は日本を訪れて、しばらく滞在していました。うちの家族と一緒にお酒を飲んだりして、日本を満喫して帰って行きました。

ケケの結婚式。神妙な表情だ

そうしたら2015年に、連絡が来ました。

「結婚するので、ネパールへおいでください」

いきなりなので驚きました。でも、ネパールの結婚式には、ぜひ行ってみたい。そこで出かけてきました。

ネパールの結婚式は、インドとはまた違います。独特のトピという帽子をかぶり、額に赤いシンドアという印を入れて結婚式を挙げます。スーツを着て正装し、花の飾りを首に巻いたケケは、なかなか立派でした。

式は、2日間行われる非常に長いものです。まず、新郎ケケの家で儀式をして、それから車で新婦の家を訪れます。そこでまた長い儀式をして、新婦を新郎の元に連れて帰ります。そこでまた儀式が行われるのです。儀式は翌日も行われます。

ケケは、愛らしい奥さんと一緒に厳粛な面持ちで結婚式に臨んでいました。

また式では、ヤギを連れてきて、畑で若者たちが首を落とし、料理にしてふるまいます。年配の者は、ヤギの頭を割って、白子のような脳みそを生で食べます。若者たちに

結婚式で行われる祈りの儀式・プジャ。バナナの葉で作った囲いの中で行われる

も勧めますが、さすがにそこまでは無理。若者が嫌がると、笑います。

夜は、ケケの親戚の家へ泊まりました。ネパールの家は、日本ともインドとも大違いでした。まず、トイレからホースが台所へ伸びています。なんと、糞などから出るメタンで火を起こして、煮物を作っているのです。2階への階段はなく、はしごでした。シャワーなどはなく、1月なのに、外の井戸から水を汲んで体を洗いました。凍えるほど寒かったです。

ネパール滞在の残り2日は、その親戚が山の上にあるホテルを紹介してくれました。そこに泊まって朝起きると、ホテルの人が「日本人がシリアでイスラム過激派に殺されたらしい」と教えてくれました。そこで、日本人の殺害事件をはじめて知ったのでした。

その後は、ケケたちに別れを告げ、カトマンドゥからニューデリー、チェンナイ、ティルチラーパッリ、4つの空港を経由してインドの会社に行きました。

ネパールを出る直前にお腹を壊し、ニューデリーでは非常な痛みに悩まされました。でも、不思議なことにチ

結婚式では、にぎやかな踊りも行われる

エンナイあたりから痛みは収まってきて、会社に着く頃には治っていました。私には、インドの水がよほど合っているのかもしれません。

その後、ケケには再び招聘状を書きました。わが社が雇って給料を払う、という形で、日本に1年ほど滞在していました。私の知り合いの農家で働いていたのです。ビザの更新ができなくて国へ帰りましたが、お金を貯めてネパールで会社を立ち上げました。

ケケは日本が大好き。娘も生まれましたが、「テンシ」という名だそうです。日本語の「天使」からきています。その後、息子も生まれ、2児の父としてがんばっているようです。

ネパールへ行った時は、彼の会社でアテンド（案内）してもらってください。私の名前（大阪のトオル）と言えば、安くしてもらえるかも。

(https://www.royaltenshitrek.com/)

第7章　日印合同会議へ

1 インドのスタッフを日本に招く

わが株式会社スリートと、インドの関連会社、シンプラン・ソフトウェア・インディア社の関係は、私が現地に出張するだけではありません。インドのスタッフを日本に招いたりもしています。

インドのスタッフの日本研修は、２０１４年くらいから始まりました。

インドの会社で選考を行い、１人ずつ３ヶ月間。多い時で２人来たこともありますが、おおむね１人ずつ、日本に呼んでいました。

渡航費用は会社持ち。滞在費用も渡します。

どういう目的で日本に呼んだか、というと。

まず、日本の会社で日本人スタッフと一緒に働くことで、仕事のやり方を覚えてほしかったのです。インドの会社でのスタッフの仕事ぶりは、日本に比べればまだ非効率的です。プログラミングの技術レベルも上げなければなりません。創業から時間がたち、慣れてきた面はありますが、日本の会社には及びません。

それから、インドのスタッフに日本の文化を肌で感じてほしい、とも思っていました。インドの人の感覚は、欧米寄りです。でも、遠い異国である日本がどんなところなのか、知ってほしいと思っていたのです。

さらに、日本語の習得です。インドと日本の仕事では、説明は日本語で行っています。（前にも書きましたが、英語が得意なインドのスタッフは少なく、タミル語を主に話すのです。）仕事を効率よく進

インドからのスタッフを関西国際空港でお出迎え

めるには、やはり日本語をナマで覚えるのが一番です。

インドの会社では、国際交流基金などが主催する「日本語能力試験」の受験をスタッフに勧めています。試験は最上級のN1から初心者向けのN5まで5段階あります。日本に呼ぶのは、N5に合格した人です。（合格しなくても呼んだケースもあります。）

初めて関西国際空港にスタッフが到着した時には、ドキドキしました。彼らは、日本でどんな体験をして、どのように成長してくれるだろうか。仕事のスキルは上達するだろうか。

そして何より、日本を好きになってくれるだろうか。

インドのスタッフは、最初の数年は私の自宅マンションで宿泊させていました。

お昼のお弁当は、妻のユウコが作ってくれます。

彼らは、日本の社員と同じように、机とパソコンを用意され、9時に出社。日本人スタッフに指導を受けながら、ともに働きます。そしてお昼にはお弁当を食べ、夜になれば帰っていきます。朝礼では、たどたどしい日本語で、日替わりのスピーチをする日もあります。

日本のスタッフも、最初こそぎこちなかったものの、しばらくすると打ち解けました。「どうや、仕事がんばってるか？」などと気さくに話しかけていました。

休みの日には、日本を楽しんでもらおうと、テーマパークに行ったり信貴山の朝護孫子寺にお参りに行ったり。四国の金刀比羅宮に出かけて、千段以上ある石段をえっちらと登ることもありました。

特に好評だったのはＵＳＪ。インドでもハリウッド映画は人気のようで、さまざまなアトラクションに、わいわい騒ぎながら大喜びしていました。

食事をおごったりもします。焼肉にも行きますが、あまり抵抗のあるスタッフはいないようです。寿司も喜びますが、ワサビだけは大の苦手のようです。

インドのスタッフの招へいは、新型コロナが流行するまで5年ほど続きました。宿泊場所も最初のうちは私の自宅でしたが、やがて市内にマンションを借り、そこで生活するようになりました。

この３ヶ月研修は、業務のみならず、インドと日本のスタッフの交流にも役立ったようです。

また、コロナ騒ぎが落ち着いたら、復活させたいと考えています。


さらに夢は広がります。

日本の社員と、インドのスタッフがどこかで、たとえばタイのバンコクで一堂に会し、国際会議を開けたら。今年はそれを実現しようと考えているところです。

両国の社員が楽しく、また真剣に話をし、コミュニケーションをとれたら。

こんな楽しく、頼もしいことはないでしょう。

2 日印合同会議を開催しよう！

２０２３年の今、日本の株式会社スリートは創立20周年。インドのシンプラン・ソフトウェア・インディア社は創立から13年目を迎えました。おかげ様で現在、商売は比較的順調です。あちこちに負債があった14年前。何かのブレイクスルーを求めて、ほとんどやけっぱちでインドへと渡りました。あの頃から考えると、隔世の感があります。

当時数名だった日本の社員は25人に増えました。初日に社員ゼロになったインドの会社も、今では11人のスタッフがいます。全体の売上も10倍以上に伸びました。

ここで、私はまた夢を描いています。

それは、先に述べた「日印合同会議」です。日本の社員と、インドのスタッフがどこかで一堂に会し、交流し、議論を戦わせ、意識の向上を図る全体会議を実現するのです。

場所は、日本でもインドでもない場所。シンガポールでもクアラルンプールでもいいですが、両都市には日本人が少なく、会議にはやや不便です。

日本人が多くてなじみやすく、観光スポットも多く、両国から行きやすい。

タイのバンコクあたりならどうでしょうか。バンコクは、そもそもインドへ行くまでの飛行機の中継地点。しかも日本人の旅行者や滞在者が多い。現地の人も日本人慣れしている。

バンコクのホテルに皆で宿泊。会議場を予約して、朝9時から夕方6時までは真剣に会議や技術交流、開発を行う。そして夕方からは親睦を兼ねて、宴会を開くのです。

会議は3日間ほど。旅費は会社でまかなうつもりなので、遊びに行くのではありません。そのためには、真面目に議論を行う必要があります。最終日くらいは、アユタヤ遺跡を観光したり、象に乗ったりするのもいいですが。

会議の内容は、第一に両国メンバーの交流。第二に、技術力の向上。特にインドのスタッフはまだ技術力が未熟な者もいます。日本のスタッフに話を聞くことは大きな刺激になるに違いありません。

会議は、まず皆の顔合わせからスタートし、技術力や考え方、作業の方法などの認識の一致をはかります。そこから、何かを生み出していきたいのです。

今のわが社は、ルールを統一し、刷新しなければいけないことが数多くあります。設計図書の書き方や、開発に使用するツール、プログラミングの方法などです。それを両国のメンバーで打ち合わせ、決めていく。

そして、ソフトウェアを創るおおもとになる、開発理念のようなものもテーマとして打ち出したい。その延長として、何かこれまでにない、新しいシステムを作る打合せもしたいと考えています。

両国メンバーで創り出す「新しいアプリケーション」がどんなものになるか、今から考えてもワクワクします。全員が集まれば、いったいどんなアイディアが飛び出すでしょうか。

日印合同会議。2024年の春までには、実現したいと思っています。にぎやかなインドのスタッフと、日本のスタッフが出会ってどんな刺激が生まれ、核融合が起きるのか。楽しみにしています。

3 インドでのビジネス、そして未来に向かって！

ここまで、インドでの会社設立からの12年間をお話ししてきました。しかし、まだまだチャレンジし足りないことは数多くあります。

前にもお話ししましたが、まずやってみたいのは、インドの会社でインド国内向けのビジネスを行うことです。

インドでソフトウェアを作り、それをインドのどこかの会社に販売し、使ってもらう。現地の会社を自立させるのです。

今は、日本で受注したプログラムの一部をインドの人に作ってもらい、日本でチェックして修正して、システムに組み込む、ということしか行っていません。完全に日本からの仕事オンリー。インドのシンプラン・ソフトウェア・インディア社が、日本の株式会社スリートの下請けになっています。

これでは不十分です。

私は、インドでのビジネスをやってみたいのです。誇り高く、自分の国の製品に自信を持っているインドの人に、インドの会社で作ったサービスやソフトウェアを売りたい。

インドで自立するために、現地で商いができるようにしたいのです。

そのために今、南インドのヴェルールに会社のオフィスを建てることを計画しています。土地を購入し、社屋を建てて、オフィス環境を整える。そこでスタッフを働かせたい。仕事場とともに、ゲストルームも2部屋くらい用意し、私がインドへ出張したら、そこで泊まろうと思っています。

こう考えたのは、インドのパートナー、センティルのお父さんの意見もありました。

「インドで会社を運営するのなら、やっぱり自社ビルくらいは持っておかなきゃ。それくらい、インドに食い込んでいかないと、ビジネスは成功しませんよ」

その通りだと思いました。やはり、インドで仕事をするなら、現地に根を張る覚悟で仕事をしなければいけないのです。

まだ、良い土地は見つかっていません。それに、できるだけ安く購入したいので、為替とのにらみ合いでもあります。

一方、ソフトの面では、インドのスタッフの再教育を実施しています。

もともと私は、設立当初は、日本の会社とインドの会社で人数を1対2にしようと思っていました。日本10人に対し、インド20人というわけです。しかし、コロナ禍などもありましたが、プログラム制作で質の揃った人員を集めるのは並大抵ではありません。人件費も相応に膨らんできます。

何よりの悩みは、プログラム制作において、日本人スタッフの技術水準に、インドが追いついていないことでした。

そこで、インドのスタッフの再教育を始めました。わが社が扱っているプログラム言語はＰＨＰ。日本から課題を与えて、インドのスタッフにＰＨＰのプログラムを作成させます。完成したら、日本人スタッフが内容をチェックし、修正を行わせます。また、レビュー（批評会）を行い、間違っているところや改良できる点を指摘し、直してもらいます。

そうやって、日本の技術者の考えをインドのスタッフに伝え、足並みを揃えていくのです。いわば、わが株式会社スリートの「ＤＮＡ」を継承させていく作業です。

そして、技術が十分に向上したところで、巨大なインドＩＴ市場へと打って出たいのです。

Simplan Software Indiaのスタッフたち

インドは、２０２３年、人口で中国を抜いて世界一に躍り出ました。ＧＤＰも２０２２年にイギリスを抜いて世界第５位となりました。２０２７年には日本を追い越して世界第３位に達すると予想されています。

インドのＩＴ技術力は年々高まっています。中国の地政学的リスクも相まって、世界的なＩＴ企業が生産拠点を中国からインドへと移そうとする動きも出てきています。

こうした中、わが社のある南インドでも、ＩＴビジネスが盛んになってきています。

インドの勢いは、このまま続くでしょう。何より、平均年齢が若く、エネルギーに満ち溢れているからです。わが社もこの勢いにのせて、インドでのビジネスを成功させたいのです。

いや、きっと成功するでしょう。それほどの可能性をインドが持っているからです。

コラム・左手でお尻拭けますか？

やってきました。トイレ、ご不浄でのお話です。

インドでは、トイレでお尻を拭くのに、紙を使わずに素手の左手で拭きます。

有名な話で、本当です。

敬遠する人も多いでしょう。実際に、私も初めて行った時は、できませんでした。

妻は、ついにこれに慣れず、日本からトイレットペーパーを持参しました。

トイレの中はというと、普通の洋式トイレで、水も流れます。

ただし、トイレットペーパーはありません。シャワーのような水栓と、小ぶりのバケツが一つ。

これはホテルなどの話で、水栓がない場合は、水桶とひしゃくの場合もあります。

使い方は次の通りです。

小さなバケツに水道の蛇口をひねって水を入れます。

それから、水を入れたバケツを右手に持ち、後ろからそろそろとお尻にかけます。

水をかけながら、左手を前から通して、お尻をきれいに拭きます。

拭いた後は、水を流し、手を洗えばおしまいです。

最初は上手にできず、お尻がびしょびしょに濡れました。

しかし、慣れてくると、トイレットペーパーより細やかにできて、お尻がきれいになるのでは、と思ったりもしました。

一度、インドへ行った折りには、お試しください。なんでも覚悟だと思いますよ。

たとえばオムツの世話をされている方だったら、けっこう平気でできるのではないか、と思います。いかがでしょうか。

【ま】

【や】

【ら】

【わ】

【な】

【は】

【た】

【か】

【さ】

索 引

【英字】

【あ】

あとがき

東京オリンピックの開会式に合わせ、2021年7月23日に初出版したのが、第一弾の『電力のキホンの本』。第二弾は翌2022年7月23日に『プログラマーへのキホンの道』と続き、毎年7月23日をスリートの出版日とすることにしました。そして第三弾は本書『左手でお尻拭けますか?』と『電力のキホンの本 第2版』。2023年7月23日に出版いたします。

第三弾は何にしようかと考えていましたが、10数年前から縁のあるインドに決めました。

2023年にはインドの人口が世界一になります。初めてインドを訪れたのは2010年の暮れ。そこからインドと深く関わるようになりました。といっても、南インドに限ったことで、私自身、タージマハルすら見たことなく、ガンジス川にも行ったことはありません。

地図を広げると、インドは非常に広い国です。日本の約9倍もの面積で、州を跨ぐとインド人同士でも言葉が通じません。必然として英語で喋らないとコミュニケーションできません。同じ国なのに言葉が通じないのは不思議です。ただ彼らは、生まれてからそれが当たり前なのです。日本国内どこに行っても言葉が通じる環境で育ってきた我々には想像がつきません。

コロナ禍が明ける間近の2023年4月中旬。パートナーであるセンティルさんが3年ぶりに日本に来ました。ちょうど大阪に来る日、わが社の社内行事「誕生日会」でご一緒いただきました。

第三弾の本の製作途中でもあり、彼に一つ尋ねました。

「どうして私をインドに誘ってくれたのですか?　他にも行きたい人がいませんでしたか?」。

彼の回答はこうでした。

「あの時、日本の会社、500社くらいに営業の電話をしたんです。でも、ほとんど断られました。取引に繋がったのは5社もありません。そんな時、ちょうど吉川さんが快くお話を聞いてくれて、仕事に繋がりました。だから、お誘いしようと思ったのです」

とても驚きました。500社も電話を掛けて、数社しか取引が成立しなかったなんて。日本の企業は、どうして興味を持たないのでしょう。保守的な日本企業の体質を垣間見た気がしました。

インドと取引を始めた頃、今もそうですが、周りの経営者や知人に与えるインパクトは大きなものでした。「インド」という言葉で、私の事を覚えてくれるのです。最初の話題は決まっています。「インド人って賢いんやろ？　数字強いんやろ？」「インド人って毎日カレー食べるんやろ？　手で食べるの？」「タージマハルって綺麗？　ガンジス川で沐浴したん？」

この程度です。同じアジアでも少し離れたインドに、日本人が持つイメージは多くありません。


タイトルの『左手でお尻拭けますか？』は、用を足した時のことを指しています。私が参加している大阪府中小企業家同友会の、2015年の例会発表で使いました。自分自身、気に入っています。日本では、用を足す時に紙が無いと拭けないのが当たり前ですが、紙が貴重な地域では、水をかけながら左手でお尻を拭く。慣れると紙より綺麗になるので、スッキリします。また、衛生的にも綺麗になると思います。汚れるのは左手だけです。洗えば済みます。ましてや、自分の身体から出てきたもの。

自分が当たり前だと思っていることが、他国では当たり前ではない。この言葉は、そんな状況で「自分はどう振る舞えますか？」という問いかけでもあるのです。

2020年春からコロナ禍が始まり、今までの「当たり前」が、そうではなくなりました。こんな時、どう動けるか。習慣を変えられるか。誰しもが、否応なしに生活を変化させました。

インドという国はシンプルで本質的な習慣を持っている国だと感じることがあります。右手でご飯を食べ、左手でお尻を拭く。部屋に上がる時は靴を脱ぐ。そのシンプルさに、強さと魅力を感じます。

インドに渡航した当初、父親とSkypeで会話しましたが、父親は「昔の日本みたいやわー」と言っていました。ただ、インフラ部分では遅れているものの、もの凄いスピードで整備されています。インドの経済は益々発展していくでしょう。私自身も負けじと食らいついていこうと思います。

誰しもパスポートを持って海外に行きます。そのパスポートにはこう書かれています。

「日本国民である本旅券の所持人を通路故障なく旅行させ、かつ、同人に必要な保護扶助を与えられるよう、関係の諸官に要請する。日本国外務大臣（公印）」

初めてこの文章を見た際に、少し感動しました。国が守ってくれているのだな、と感じました。

日本のパスポートは、世界で最強に近いぐらい強いものだそうです。ビザなし、到着ビザで日本のパスポートがあれば渡航できる国と地域は193にも上ります（2022年現在）。

インドは力強いですが、日本という国にも、誇りを持ち続けることが大切であるとも思います。

『左手でお尻拭けますか？』は、前回と同様に協力出版という形です。印刷製本・販売代行・フォーマット作成は出版文化社様にお願いをし、それ以外は全て自社で制作を行いました。

各章の扉には、すずきさちこ氏による挿絵。また、図表と、前回と同じ雰囲気の少し目を惹く表紙デザインは、樋口佐知子氏が行いました。デザイン関連は、気の合う仲のツイン・サチコです。

今回もシステム開発と同様に、すべて自社のメンバーと身近な関係者で作成したお手製です。各人の持てる力を存分に注ぎ込み、真心込め、ふんだんに遊び心を入れて制作しました。

この本を、最後までご愛読いただき誠にありがとうございました。最後に校正を読んでいただいたスリートのスタッフの皆様、インド人スタッフの皆様、関係者様、貴重な経験とご協力をいただき、またご助言、叱咤激励をたくさん頂戴し、深く感謝いたします。

スリートブックスはまだまだ続きます。第五弾を何にしようかと思案中です。お楽しみに！

2023年6月3日 吉川 徹

著者：株式会社スリート（吉川 徹、中井有造）
2003年創業のITシステムデザイン企業。新電力企業の顧客情報管理システムをはじめ、各種のシステムソフトウェアの制作・販売を行っています。株式会社スリートは、「信頼ある本物の技術」を信念として情報社会をリードする企業を目指し、True Trust Technologiesの頭文字“3つのT”から「THREET（スリート）」と名付けました。
〒542-0081 大阪市中央区南船場4丁目6-10 新東和ビル5階
TEL：06-6251-0315　FAX：06-6251-0314
Web：【会社ホームページ】https://www.threet.co.jp/
　　【PowerCISホームページ】https://powercis.jp/

編集：中井有造
表紙デザイン・DTP・図版作成：樋口佐知子
図版・マンガ作成・制作協力：すずきさちこ

左手でお尻拭けますか？
南インドのド田舎で会社を作ったハナシ

2023年7月23日　初版第1刷発行

著　　者　株式会社スリート（吉川 徹、中井有造）
発 行 所　株式会社スリート
発 行 人　吉川 徹
発 売 所　株式会社出版文化社
〈東京カンパニー〉
〒104-0033 東京都中央区新川1-8-8 アクロス新川ビル4階
TEL：03-6822-9200　FAX：03-6822-9202
E-mail：book@shuppanbunka.com
〈大阪カンパニー〉
〒541-0056 大阪府大阪市中央区久太郎町3-4-30 船場グランドビル8階
TEL：06-4704-4700（代）FAX：06-4704-4707
〈名古屋支社〉
〒456-0016 愛知県名古屋市熱田区五本松町7-30
熱田メディアウイング3階
TEL：052-990-9090（代）FAX：052-683-8880
印刷・製本　中央精版印刷株式会社

ISBN978-4-88338-710-6　C0095